わがままを言ってみる

猪鼻幸正

まつやま書房

目　次

3章　学校のこと ―――――― 79

4章　自分のこと ―――――― 117

1章 子どもたちのこと

わがままを言ってみる

わがままを言うといわれる
でも　自分はわがままは言っていない
しかし　みんなはわがままだという
もちろん自分は　わがままなんかであるはずがない
あいつは気に入らないからぶっ飛ばす
あの先生は自分のやりたいことをやってくれないからぶっ飛ばす
あの教科は面倒だからやらない
あの教科は聞いていなかったところから分からないのでやらない
部活動のあの練習は疲れるからやらない
あいつは俺の練習相手にならないからぶっ飛ばす
教室に座っているのも面倒だから座らない
清掃は面倒だからやらない

俺の所にゴミが落ちている
ふざけるな　誰だよ
ちゃんと掃除しろ
俺はきれい好きなんだ
係の仕事はつまらないから周りにやらせて自分はやらない
給食の当番は着替えるのが面倒だからやらない
誰だよ　俺の好きなもの知っているくせに　きちんと盛れよな
俺の嫌いなものを何故配る　ふざけるな

親父は　すぐに怒るから気に入らない
お袋は口うるさいから話をしない
小遣いを使ってしまったのに　よこさない
仕方ないだろ　お腹が空いていたんだから
早くよこせよ
こんなにちょっとしかくれないのかよ

ふざけるんじゃねえ
弟は　俺より年下のくせに兄貴の言うことを聞かずに　わがままだからぶっ飛ばす
ばあちゃんは　心配ばかりするから相手にしない
じいちゃんは　いつも黙っているから無視をする

ああ俺はこの世で一番不幸ものだ
みんな俺に冷たい
みんな俺の話を聞いてくれない
みんな俺の思っているとおりにならない
みんな俺のことなんかどうでもいいと思っている
なんて俺は不幸なのだ

面白くない　ふざけるな
この壁も　この机もふざけんな
蹴ると痛いじゃないか

何でこんなに堅いんだ
何でこの戸はすぐに壊れるんだ
ちょっと蹴っただけなのに
わざとやったんじゃない　勝手に足が動いたんだ
あいつだって　そんなに意地悪したつもりはないのに
ちょっと拳でなでただけなのに　痛い痛いと弱い奴だ
殴るつもりはなかったし当たっちゃっただけなのに
避けないあいつが悪いんだ
すぐに先生に言って俺を困らせやがって
むかつくんだよ

俺がやっていることをどうして止めるんだよ
誰にも迷惑をかけていないじゃないか
口が渇いたから水を飲みに行っただけじゃないか
誰だって口が渇けば水を飲むだろ

飲ませないって言うのか
ふざけるな　むかつく

むかつくことばかりだ
頭に来る　殴ってやる

俺の気持ちになってみろ
こんなに不幸な奴はいないはずだ
なんて自分は不幸なんだ

誰かこの人を助けてあげてください

なんとかしたい

面白くない表情で　面白くないと言いながら歩いてくる君よ
ポケットに手を突っ込んでつまらなそうに正面だけに目を向けて
挨拶もせずに黙っていってしまう君よ
授業中は寝ていて何もせず
勝手なことを突然始める
やめろというと余計やる
黙っていると更にエスカレートする
怒ればふくれ　叱ればバカヤローと怒鳴る
思いどおりにいかないときには物にあたり
何で俺ばかり注意するんだと吐き出す
自分が人に迷惑をかけていることには限りなく寛大で
自分のことに関しては細かいところまで不平不満を言い続け

人が気遣っていることを逆手にとって悶着を創り出そうとする
その知恵を違う方向に生かすことはできないものか
見るたびにそう思う

君は気づいていないか　多くの人が心を痛めていることを
家に帰っても頭から離れないのは私一人ではないだろう
担任はもちろん　何人もの先生や君の周りにいる多くの人がそう思っている
まともな話には耳を傾けず
無理矢理素直にならないようにしているようにさえ見える
君の心が見えてこない

学校ではだめか

もうすぐそこに君の試練の時が待っている
生きていく中で　どこかで学び直さなくてはならないものがある

今少しでもいいから学ぶべきことを学べ
願うような気持ちで君の周りにいる人は君のことを思っている
そのことに君は気づいているのだろうか
気づいていても変わる気持ちがないのだろうか

分からないなら分かるまで話をしよう
何とかしたい
もどかしい思いを持ちつつ　この文章を書いている
今のままではだめだ
心の中にある頑張るぞと言う気構えを素直に外に出せ
応援団はいくらでもいる
今でもそうだ

次の世界は自分で創る世界だ
その世界をもっと楽しく元気よく創り出せ

市内大会とそれぞれの思い

三年生にとっては最後の大会となる市内大会が近づいてきました。放課後の部活動を見ていたら、記憶を頼りの随分昔の話ですが、ある生徒の詩を思い出しました。

「部活動の思い出」

一年生になって毎日ライトの後ろで球拾い
親との約束どおりユニフォームを毎日自分で洗濯する
はじめは大変だったけれども慣れたら何とかなった
二年生になって試合の時にスコアブックをつけるように言われてうれしかった
三年生になってもスコアブックをつけながらベンチで大きな声を出して応援した
毎日休まず練習した　スパイクを磨く　グローブを磨く

後輩がうれしそうに話しかけてくるので後かたづけは後輩と一緒にやった
家に帰ったら毎日素振りした
そのうち手のひらの皮が厚くなってまめもできなくなった
小遣いを使わずに済むので親父と時々バッティングセンターに行った
バッティングマシーンのボールを打った　少しはうまくなった
最後の大会でチームが負けて残念だった
家に帰ってユニフォームを脱ぐ　最後の洗濯をする
乾いたユニフォームをたたんでたんすにしまう
背番号はなかったけれども　好きなことを一生懸命にやれたので満足だった

それぞれの生徒が、それぞれのいろいろな思いをもってこの大会を迎えます。是非、精一杯、それぞれの自分自身の大会をしっかりとやりきってください。

「感動は挑戦から」始まります。

いつか見た夢のように

卒業を間近に控えたうららかな日差しの中で
校庭に明るく元気な声
友と競う気持ちのよさ　ボールを追いかけて
声を精一杯出し切って
ありったけの元気をたたきつける
一年前にはまだまだこれから始まると思っていたのに
時は瞬く間に過ぎ
夢多き若者は常に前を向いて留まることを知らぬ

未来の扉は自らが開け
中学のひとこまは　いつか遠いものに
少年のときに　少女のときに

中学校で過ごした日々は時にはやさしく　時には切なく
そしてなつかしく　心に響け

入学した頃は幼さが残った顔、顔、顔
約一千日の日々の中で　少し大人になった
毎日の学校生活の中で　いろいろに変化する

それぞれが自分の持ち味を生かして
明るく　元気に　いつまでも

いいことはたくさんある

新聞やマスコミで、若い同世代の人たちの痛ましい事件や事故が報道されています。本校の生徒はそれぞれが落ち着いた生活をしていると思いますが、是非こうしたことに流されずに過ごしてください。自分の命を大切にすること。自分を大切にするということは、巡り巡って自分の身近な人も大切にすることになります。

人は、すべて違います。自分と同じ人はいません。自分の考えと他人も同じだと考えていると、気づかぬうちに人を傷つけてしまうことがあります。

何か困ったことがあったりしたときには家族でも、友達でも、先生でも誰でもいいので、話せる人に話してしまった方がよいのです。「黙っている」ということは体によくありません。我慢せずに相談した方がよいのです。

今から三十年近く前、ある中学校に勤めていたときのことです。冬の寒い夜、家庭訪問をしなくてはならないことがありました。その日は、あいにく雪が降っているような悪天候で、自動車も自転車も使えませんでした。仕方なく、長靴を履いて、歩いて出かけました。はっきりとは家が分からずに「このあたりかな」と思いながら歩き続けていたのです。そんな時、偶然に一人の生徒が現れたのです。

「先生、どうしたんですか。こんな雪交じりの時に。」

「実は、Mさんの家に行こうと思って学校を出たんだが、まだ家を覚え切れていなくて、探しながら歩いていたところなんだ。」

「Mさんの家なら分かるから、案内します。」そう言って、Mさんの家まで連れて行ってくれました。

道すがら、生徒に聞かれました。

「先生、今日は何かいいことがありましたか。」

「いいことなんかないよ。毎日大変だ。」と言うと、

「私は、いいことがたくさんありましたよ。今日の朝ご飯がおいしく食べられたこと。今日も友達と話ができたこと。きれいに掃除ができたこと。他にもいっぱいいいことがありました。どうですか。いいことをたくさん見つけると楽しくなります。先生もそうしたらどうですか。」

今でもこの時の言葉が忘れられないのです。

日常の些細なことかもしれませんが、実は、その中にいいことがたくさんあり、それを見つ

けることの大切さを、この生徒から教えられたのです。物事は考えようによってはいくらでもよい方に向けることができるということを。

「いいことはたくさんある」のです。

ボールの話

ボールを一番遠くまで投げるには、どのようにしたらよいでしょうか。同じ力で投げるとしたら、四五度の角度で投げると、一番遠くまで行くはずです。ところが、野球では、山鳴りのボールを外野からの送球の時には絶対に投げません。なぜでしょうか。できるだけ遠くまで投げたいのですが、それだけではいけません。早く正確にキャッチャーまで投げなければならないのです。ですから、山鳴りのボールを投げていたのでは、アウトにできるものもできなくなってしまいます。同じ野球のボールでも目的によって投げ方が変わってきます。

サッカーボールならば、また全然違ったものになるでしょう。むしろサッカーの場合には、野球のようにバットだとかグローブとかというような用具がありません。ボールの送球の仕方にいろいろと工夫を凝らすことが自然と求められるスポーツになることは、当然のことと言えるでしょう。

このように、球技そのものの本質は何かということを考えていくことにも、物事を追求するヒントがありそうです。

地球は回っている

地球が回っていることに気づいたのはいつ頃のことでしょうか。社会の歴史の勉強のはじめに昔の地図が載っていたことを覚えています。長方形の中にアバウトな地形が書いてあり、海の果てには怪獣が書いてありました。未知の知らないところには行かない方がいいと言いたげなものでした。

その地図から、――昔は地球が回っているということなどは到底考えていないのだな……と子ども心に思いました。星は、当然自分たちの周りを回っているものだし、季節が変わることなども、ただ経験的に理解しているだけかと思っていました。

ところが、エジプト文明を見ても分かるとおり、天文学など科学の発達はかなり以前からあったのは確かです。

ある生徒に、「地球が回っていることを見つけた人は?」と聞くと、ガリレオ・ガリレイという返事が返ってきました。とても有名な話なので、私も歴史の勉強の時にそう教わりました。けれども、本当は、もっと以前の人でも知っていたのかも知れません。

地球は自転しています。一日、二四時間で一周します。こうして自転しながら、地球は太陽の周りを一年三六五日かけて一周します。これを公転といいます。四年経つうちに一日ずれるので、これを閏年として三六六日の年があります。季節が変わるのは、地球が太陽の周りを回るときに、太陽に対して軸が傾いている度合いが違うことから起こるといいます。この太陽も太陽系の惑星として宇宙を回っているといわれます。

人の成長もこうした話に似ているところがあります。

まだ幼い頃には、自分が中心であり、人のことはあまり考えられないものです。わがままなところがたくさんあって聞き分けがないものです。無理矢理こじつけて訳の分からない説明をしていることもあります。けれども、だんだん人との関わりや体験を積み重ねていくうちに、自分のことも分かってきます。人の思いも分かってきます。自分が家族の一員であることを分かると、いろいろな手伝いや思いやりの心をもって接するようになるのです。

これが学校や社会の人との関わりを通してさらに変わってきます。「人に迷惑をかけてはいけない」「人のために役に立ちたい」「世の中のために自分の力を生かしたい」など、そうした思いが強くなります。巡り巡ってどのようなことであるにしても、自分がこの世の中の一員として生きているということが分かっていれば、いろいろな面でそれぞれがそれぞれのよさを生かした生き方ができるのです。

社会という広い世界の中で生きるということは、まさにこの広い宇宙を旅する地球にも似ています。どのような出会いがあるかは分かりません。分からないから面白いのです。けれども、後で気づくことがきっとあります。地球が回っているということが分かったように。

もうすぐ一年が終わります。年度の初めに比べると「成長したなあ」と思うところがそれぞれの生徒にそれぞれ見られます。まだ成長途上の皆さんですから、勉学や様々な経験を積み重ねて行く中で、皆さんの成長はこれからも更に続いていくはずです。

代表値について

ものの集まりを代表する値を代表値といいます。皆さんがよく知っているものでは平均値がそうです。テストを行った後、「平均点はいくつですか」と聞くことが多いと思います。「平均点よりもよかった」とか、「悪かった」とかと自分の点数との比較をするためによく使っていると思います。平均というのは、そのクラスのその教科のテストの点数の代表値です。この平均の考え方は、世の中でもよく使われます。

これ以外でも、ものの集まりを代表する数値があります。例えば最大値とか最小値です。オリンピックは、いろいろな種目の中で最も優れた選手を決める大会でもあります。各国はその国の代表となる選手を送り出して、できるだけよい成果を上げようとします。これは、各国の平均を問題にしているのではなく、最大値を問題にしていると言ってもよいでしょう。

代表という言葉が出てきましたが、この言葉はいろいろな集合を考えるときに、その集まりのことを分かりやすく表すために使われるものです。中学校でもよく使います。「市内大会の代表を決める」「市内の選抜チームの代表を決める」等、何気なく使っています。

市内大会で例えば、選手の名前ももちろんでてくるでしょうが、学校がどこなのか気になります。本校の何部が何位だったとかというようにです。皆さんも当然、本校の生徒の一人として頑張っているのだから、学校や何部かが気になるのは、当たり前と言えば当たり前の話です。さらにそれ以外の所でもよく使われます。学校の外に出た場合には、よい話でも悪い話でも、すべて「本校の生徒が…」となります。だから生徒は、常に本校の看板を背負っていると言ってもいいでしょう。本人そのものではなく、学校の代表値となっているわけです。

大人になると、新聞等を見ても分かるとおり、もっと大変になります。

当然、校外行事についても「貴校の生徒は…」ということになります。

昨年の修学旅行のときに、タクシーの運転手さんたちが「貴校の生徒を案内することを毎年とても楽しみにしている」ということを聞きました。きちんとした生徒たちで、いろいろな史跡を案内しても大変楽しかったと話してくれました。相手が楽しく説明したり案内できたりしたということは、それを受けた生徒たちも有意義な学習ができた証です。

昨年度の卒業生が、三年生での面接を行ったときのことです。「最も思い出に残った行事は何ですか」と聞くと、「修学旅行」という答えが沢山ありました。さらに、「修学旅行の何が思い出に残りましたか」と聞くと、友達と三日間を過ごしたというのも多かったのですが、その中でも一番多かったのが、班別行動で見学したことでした。運転手さんたちに案内をしてもらいながら、一緒に回ったはずです。このことを多くの生徒たちが言っていました。運転手さんたちが親切でとてもためになったし、面白かったと言っていました。

人間というものは、相手が楽しければ、大抵余程のことがない限り自分もまた楽しいはずです。相手に不快な思いをさせているということで自分が気持ちよくなるというようなことは、ほとんどないはずです。また、そうでなければ、いいはずがありません。

本校の生徒たちが、毎年毎年同じように修学旅行に行きます。その積み重ねがこうした言葉になって表れたのだと思います。

どこに行ってもこのことは同じです。普通にやれば、普通に相手が応えます。当たり前の積み重ねが本校の伝統としてよい方に築きあげられていることを強く感じました。

毎日の積み重ねとは

毎日の生活のパターンはどうなっていますか。毎日の生活の積み重ねによっていろいろなことが身に付いていきます。その中にはよいこともあるだろうし、場合によってはよくないこともあるかも知れません。どちらにしても繰り返すことによって、そのことが当たり前のようになり、自分自身の行動様式として形作られていくことになります。

何年か前のことです。三年生の面接をしている時に、ある生徒がこんな話をしてくれました。「自分は勉強が苦手です。テストの度に親に叱られてばかりいたので、なんとか少しでもよくなりたいといつも思っていました。そこで、毎日漢字のドリルを十分間、朝やることに決めました。国語の漢字ならば書けばいいのだから、一番やりやすいと思ったのです。はじめはあまり効果があるとは思っていませんでした。いつも失敗ばかりしていたので自信はありませんでした。けれども半年以上繰り返していたら、だんだん苦手だった漢字書き取りが少しできるようになってきました。やがて部活動も引退し家に帰る時間が早くなったので、数学の計算練習も家に戻ったらすぐにやると決めてやり始めました。数学は国語以上に分からないことがいっぱいあったので、『問題のはじめの方の簡単な所ができればいいや』ぐらいの気持ちで始めました。今まではできないとあきらめていて、全くと言っていいほど手をつけていなかったものだから、はじめは面倒で面倒で仕方がありませんでした。けれども、『三年生だし進路のこともあるから』と我慢してやり続けました。

辛抱を続けるうちに、さぼろうとする気持ちよりもやらないと気が済まなくなる気持ちの方が強くなってきました。そうすると、少し前まで分からなかったことが分かるようになりました。自信がなかったところができるようになったら、途端に視界が開けるように次から次へと分かるようになってきました。今まで勉強を自分からすることがなかったし、何をやってもだめだとあきらめていました。そんな自分が、決めたことがきちんとできるようになったことがとてもうれしくなりました。また、不思議なことに、学校の授業やいろいろなことに対していい加減だったのに、きちんとやる方が気持ちがよくなってきたのです。勉強のできる友達に比べたら大したことではありません。自慢することでもありません。けれども自分で自分を褒めてやりました。」

実はこのような話をしてくれた生徒は一人ではありません。いつも話をすることですが、この辛抱ができるかどうかが大事なところなのです。「この教科が好きです。」「この教科が苦手です。」いろいろなことを言います。けれども、そのほとんどは学習する時間の量に比例することが多いのです。好きになるということは、接する時間が多くなります。ゲームが好きな生徒が何時間もゲームに向かっても飽きないのと同じです。ある程度の練習量を積み重ねることによって、勉強しようとする態度や姿勢の基礎ができます。ここまで行くのに辛抱がいります。そして、ここまでいくと、後はどんどん積み重ねることができるように変わってきます。それは家を造るのと同じです。はじめの土台をしっかり造らないといい家は建ちません。目立たない所に時間がかかるのです。

いつまでも少年少女ではいられません。皆さんは近い未来に青年になり大人になっていきます。その時までに勉学や運動で鍛えられる所をしっかりと鍛え、将来を担う人材となってくれることを期待しています。

平行線

「平行線」という言葉を、皆さんは知っていることと思います。では、「平行線」とはどのようなものでしょうか。

「平行線」とは「どこまで行っても交わらない直線」のことを言います。

ここに一本の直線があるとします。頭の中で想像してみてください。その直線にない点を一つ取ります。この点を通って先程の直線に平行な直線を引きます。さて、直線は何本引けるでしょうか。

もちろん、一本しか引けません。ところが、これを広い地球の上で考えてみます。平行線はどんどん伸びていきます。そして最後は、地球を取り巻く丸い線になるはずです。さっきの狭い範囲では、一本しか引けなかった平行線は、どうでしょうか。難しいことを言うと分かりにくくなってしまいますので、簡単に考えてみます。「交わらなければいい」のだとしたら、先程まで一本しか引けなかったものが、いくらでも引けることになってしまいます。

ある直線とその直線上にない一点を通る平行線は、一本しか引けなかったものが、このように広い世界に行くといくらでも引けることになってしまいます。

但し、直線というものの定義をどうするかによって、このことは正しいかどうかが変わってきます。

次に「三角形」について考えてみます。三角形の「内角の和」を皆さんは知っていますね。何度でしょうか。これは一八〇度ですね。それでは、これも「平行線」と同じように、広い地球の上で考えてみるとどうなるでしょうか。三角形の内角の和は、果たして一八〇度でしょうか。三角形というものの作り方というか、定義の仕方によって変わるかもしれません。角度は、一概に一八〇度であると言えそうもありません。

このようなことへの疑問は昔からありました。でも、このことが解決したのは一九世紀になってからですから、そんなに古い時代ではありません。あまりにユークリッド幾何の影響が強すぎたのです。柔軟にそれを超えるものを肯定的に捉える風土というか、考え方が世の中に育っていなかったからとも考えられます。「０の発見」についても、同じようなことがあるかと思います。ないものを表現するという概念が認められるまでには随分と時間を費やしています。当たり前と思っていることでもそれは当たり前ではないかもしれないのです。同じことを繰り返してその範囲で物事を考えることも必要です。しかし、それに終始していては発展はありません。

真実を見極めようとする「ものの見方や考え方」を磨くことが大切です。そして、こうした気概を育てる環境が大切です。教育の中で、このことを教師が意識していくことが、これからの時代を生きる人を育てることになるはずです。

例えば、ニュートンが、リンゴの落ちるのを見て「万有引力の法則」を考え出したと言われています。当たり前と思うようなことを当たり前と思わずに、「どうしてだろう」と考えたところから新しいことが創造されたわけです。こんな発見はなかなかできないでしょうが、私たちが日常生活で過ごす場合に、物事の本質は何かということを見つめ直してみるということは、よりよく生きていくためにも大切なことです。


では、こうした見方や考え方を育てるためにはどうしたらよいのでしょうか。一概には言えませんが、まずは図や形を実際に描いて見たり作図してみたりすることを大切にしたいものです。定規とコンパスを用いて図を描く。立体図形を、粘土でも段ボールでもいいですから、いろいろなものを用いて具体的に作ってみたり試したりすることを通してやってみるのです。このような取組を通して感じたり気づいたりすることが、数理的な見方や考え方を養うことになるはずです。試行錯誤を繰り返す過程が大切です。完成するまでにいろいろな工夫をしたり振り返ったり、やり直したりする中で、やってみなければ分からなかったことにたくさん気づき、発見することの面白さを味わうことに繋がっていくのです。発達段階に応じてこうした取組を積み重ねて行くことにより、真実を追求する姿勢が自然に育っていくはずです。「答えはこうです」「やり方はこうです」「さあ練習しましょう」だけでは、真に必要な知力はついてきません。もちろん練習や訓練は大切です。しかし、拠り所となる原点をしっかりと見据え、何かあったら「根拠となるところから物事を考えていく」ことができるようにしなければ、肝心な時に力を発揮することはできません。

変わらないものを探す

平成一九年は、イノシシ年だという。どこか縁のある干支と思いながらも、実は干支ということをよく分かっていない。

分からないときにはどうするか。調べるか人に聞くしかない。辞書で調べると、干支の「干」は兄であり、「支」は弟であるという。合わせると兄弟ということになる。

さらに、今度は十二支という所を調べると、暦法で「ね、うし、とら、う、たつ、み、うま、ひつじ、さる、とり、いぬ、い」のことと書いてある。

では、どうしてこの順になっているか。その後を読むと、「中国で、十二宮の各々に獣を充てたのに基づく」という。これだと何のことだか分からない。そこで、図書室に行ってみた。すると、都合よく「十二支物語」という本があった。これはいいと思い校長室に戻って読んだ。ところが残念、中身は中国から伝わったものであるということ以外よく分からない。どうしてこの順になったのかは分からない。結局、今の調べ方では、分からないということが分かった。

私が期待していたのは、この十二支には、「なぜネズミや犬があって、猫がいないのだろう」

ということがどこかに書かれているのではと思っていたのだ。よく聞く話が、この本には載っていなかった。

調べるということは、無駄が多い。直接知りたいことがすぐに出てこない。だから急いでいるときには困る。けれども、調べる途中でいろいろなことに気づく。試行錯誤を繰り返していくうちに調べ方が、少しはうまくなる。「このことはあっちの方で調べればいいだろう」「このことは、こっちの方で調べればいいだろう」というように、ある程度調べる目途を立てることがうまくなる。また、誰に聞いてみようかというときにも、内容によって詳しい人が違うので、その目安も立ってくる。「人に聞く」というのは遠慮してなかなかできないことがある。はじめは特にそうだ。けれども仕方がないから聞きに行く。そうこうしていくうちに相手も自分のことを知るので、それ以外の時にもいろいろとお世話になる。そうすると、ますます話がしやすくなる。世の中に出ると、こうしたことが多い。

皆さんが社会の主役になる頃には、いろいろなことがもっと変わってくるのは間違いない。どう変わるのか、予想できることもあるが予想できないことも多いはずだ。分からないから面白い。

皆さんが生まれた年あたりの頃と比べてみても、先生の仕事の手段は変わった。今から一四

～一五年前には、ワープロが主役を務めていた。テストの問題は手書きよりもワープロで作成する方が多くなってきた頃だ。さらに遡り、二〇年前となると、もう手書きが当たり前で、ワープロがようやく登場し始めた頃になる。その頃のワープロの画面は、信じられないことだが、たった一行しか表示されないものだった。それでも、ワープロを使用する人は結構進んでいる人だった。もし、手書きでないとしたら、和文タイプというものがあり、一字一字、レバーを漢字の所に当てて「ガチャン」と押して印字するしかなかった。該当する漢字を見つけるのが大変だった。探したい漢字がないこともあった。印刷機も変わった。三〇年程前には、まず原稿を輪転機というものにかけて、ガリ刷りのようなものを作る。次に、それを印刷機にかけて印刷するというものだった。この輪転機が動くと生臭い魚のような臭いがした記憶がある。ガリ版というものを知っているだろうか。鉄板の上に升目の入った油紙でできている印刷原紙をおき、そこに鉄筆というコンパスの軸のようなものを使って字を彫り、それを印刷するのだ。あまり強く書くと油紙が切れてしまう。不器用な私はよくこの油紙を破ってしまった。大抵、「あと少しで完成する」という時にやってしまう。破らないように筆圧を弱くすると薄くて読めないので、強く書こうとするからだ。

そんな時代でも「進歩したなあ」と思っていた。小学生の時に、毎週の生活目標を先生に言われて作る「週番」というものがあったが、その生活目標は版画づくりと同じようにローラーで刷っていたからだ。まさに隔世の感がある。そして、皆さんが生まれた時代になると、この流れがさらに加速してきた。パソコンの登場である。この機械がはじめて登場した頃は、あまり便利とは思えなかった。なぜかというと、ワープロの場合には、すぐに印刷もできたのに、パソコンの場合には、印刷機も買わなければならなかったからだ。容量も多くないので、ワープロの便利さと比較しても優れているとは思えなかった。

ところが、だんだんと容量の大きいパソコンが登場してくると、がらりと様相が変わってきた。計算機能がまるで違う。大量の数値をあっという間に処理してしまうからだ。そこで仕事をする上で、数値を処理することや文書だけでなく、図形やグラフの処理をするのに大変便利になった。さらに、決定的なのは、インターネットだ。ワープロの時代は終わりに近づいて来た。今や、使用している人は、何人もいない。新しいワープロを生産している会社はないという。ワープロが壊れればもう新しいもの

は買えない。

もう一つ大きなこと、それは携帯電話だ。子どもの頃読んだ漫画に、腕時計のようなもので「こちら流星号、応答せよ。…」と無線で交信していたシーンがあり、こんなことは漫画の世界の話だと思っていた。みんなは知らないかも知れないが「鉄人28号」という漫画の中のロボットは、主人公の「正太郎」という少年の無線による操作で動いていた。近頃めっきり公衆電話が無くなった。お年寄りは、困っているかも知れない。今は、公衆電話を使うよりも携帯電話を使うことが圧倒的に多い。恐らく皆さんが使うのと私が使う目的は全然違うかも知れない。私の場合には、ほとんど仕事のことで、それ以外に使用するのは、「これから家に帰る」という連絡をするだけだ。いつも言うことは同じだ。考えてみると、いつも言うことは同じなので、呼び出し音が鳴ったら切ってもいいのかも知れない。しかし、それだと寂しい気がするので結局電話して「これから家に帰る」と言う。家に帰る以外にどこに帰るというのだろう。とすれば、「これから帰る」の方がもっと短くて済む。これからはそうしよう。

テレビもそうだ。昭和三〇年台の前半の頃、嘗て蓮馨寺に公営テレビがあった。テレビの前には黒山の人だかり。父親に肩車してもらってプロレス中継を見た。力道山とブラッシーの戦いだ。ものすごい熱気と興奮が渦巻いていた。家にテレビのある家なんかほとんどなかった。

たまにテレビのある家に見せてもらいに行くときには足を拭いてから見せてもらった覚えがある。あの頃はほとんど裸足だったのだろうか。「名犬リンチンチン」「名犬ラッシー」等のアメリカのテレビドラマをよくやっていた。アメリカには名犬が多いなと、子ども心に思った。そのうちに「少年ジェット」というテレビ番組が始まった。少年が「ラビット」というバイクに乗って運転している。その横を犬が一緒に走る。今考えると、あの子には運転免許があったのだろうか。今の道路では犬が一緒に走れない。それでも「日本にも名犬がいるんだ」と思って、ほっとした気持ちになったものだ。

閑話休題、皆さんが生まれてから後のことだけを考えてみても、かなりの変化だ。これから先の変化はこんなものではないだろう。さあどうしよう。変化に対応するためには、自ら考えたり調べたりすることをよく経験しておくことが必要だろう。無駄なようだが、これを経験しておかないと、新しい知恵や力は生まれて来ない。教えてもらっていてばかりではだめだ。そしてもう一つ、数学の勉強でもしたと思うが、何か変化するものを調べる時に大切なことは、変化している中でも変化しないものを見つけることだ。一見変化しているようでも、よくよく見ると変わらないものがある。

例えば、3、6、9、12、15、18、…数字は変わっているが、何か変わらないものがある。

正しければ、何でもいい。気づくことがあれば言ってみよう。私が気づくことは、3ずつ増えているということだ。これは変わらない。すると、次にくる数が予想できる。先の方まで見通すことができる。実はこうしたことが、世の中にはたくさんある。学校で予定表を作っている。これも前年度に行ったことを記録し、それをより効果のあるものにするためにはどうしたらよいかを考えて作成している。皆さんも無意識にこうしたことをやっている。変化の時代に対応するためにも、こうしたものの見方や考え方というものを頭に入れておくと随分と違ってくる。

2章　数学のこと

試行錯誤と閃き

先日の朝会で皆さんに考えてもらった問題の答えを何人かの生徒が説明してくれました。問題をまず確認します。

「味方と敵がそれぞれ三人ずついます。敵を連れて川を渡らなければなりません。川には、船が一艘あります。船は二人乗りです。これを使って全員無事に川を渡るにはどうしたらよいでしょうか。

敵だけで川を渡っても逃げませんが、船の中でも、どちらの川岸でも、敵が味方よりも多くなると負けです。」

1　問題を理解する

(1) 図にしてみる。

この問題の内容を理解しやすくするために、○を味方、●を敵として、図にしてみます。

だいたいこんな感じでしょうか。

(2) 条件を確認する。

「敵が味方よりも多くなると負けてしまう」と書いてあります。これはどういうことか。逆に考えてみます。どういう状態ならば負けないのでしょうか。

「敵が味方よりも多くなければよい」ということになります。

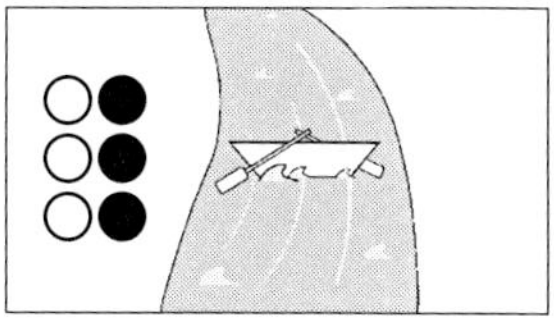

ということは、「人数が同じか多ければよい」ということになります。

「敵だけで川を渡っても逃げません」とあるので、「敵だけ対岸に残してもよい」ということになります。

2　問題を解決する

鉛筆や紙片等を使って、具体的にやってみましょう。外で説明してくれた生徒たちは、石ころで説明してくれました。教室で説明しくれた生徒は、ペンを使って説明してくれました。

これらの生徒たちの多くは、はじめは失敗していましたが、何回か試行錯誤を繰り返していくうちに、問題の条件が頭によく入っていき、状況を的確に理解していきました。

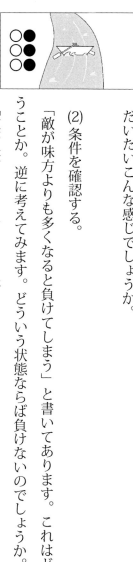

そうすると、条件にあった方法をこのきまりの中から見つけ出していき、ちょっとしたところも見逃さずに、正解にたどり着きました。

3　解答をかく

それでは、正解にたどり着いた生徒の皆さんの説明を答案として紹介します。

(1) 解答その1

陸上部の生徒が集まって解いたものです。石ころを使って説明してくれました。

① まず、敵二人だけで対岸に向かい、一人降ろして、一人が戻る。

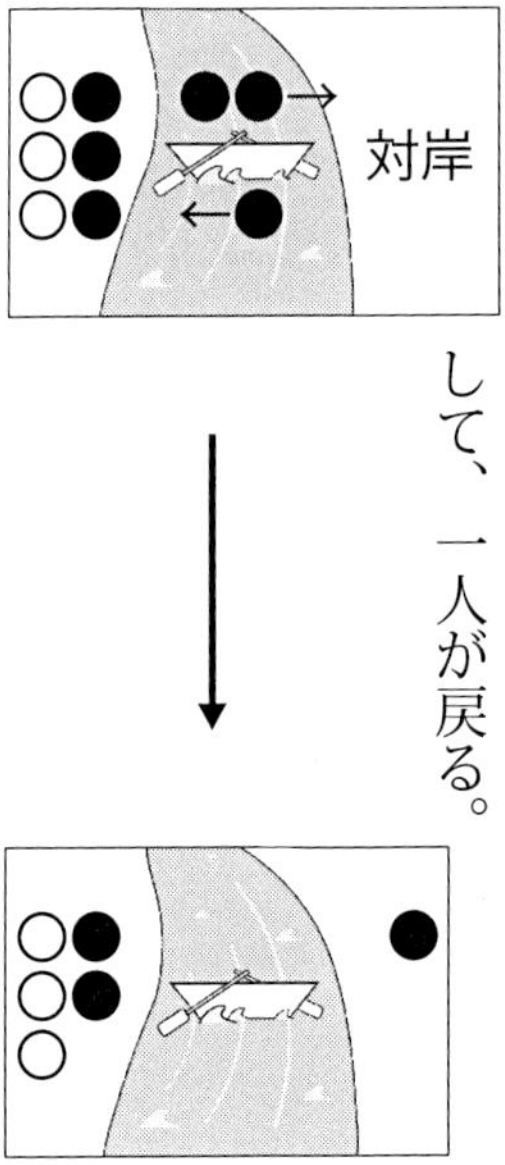

② 次に、再び敵二人が対岸に向かい、一人降ろして一人が戻る。

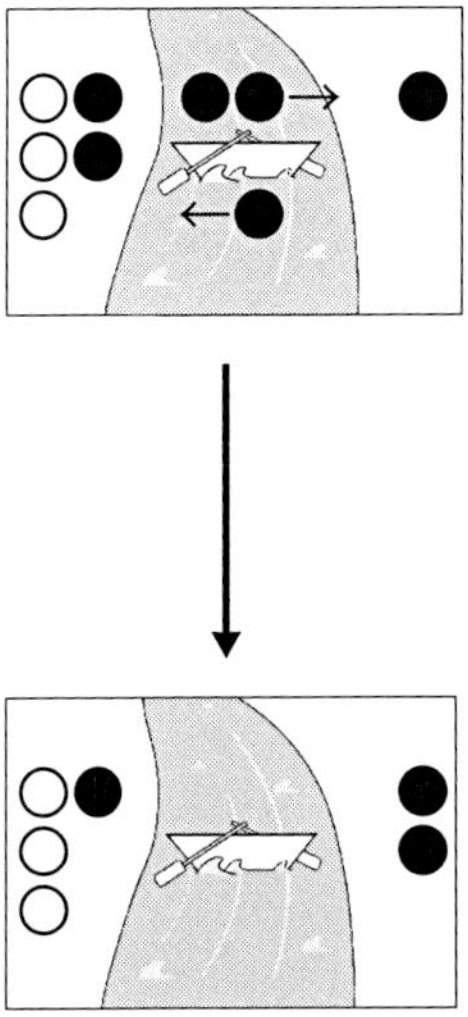

③味方二人が対岸に向かい、
敵一人、味方一人が戻る。

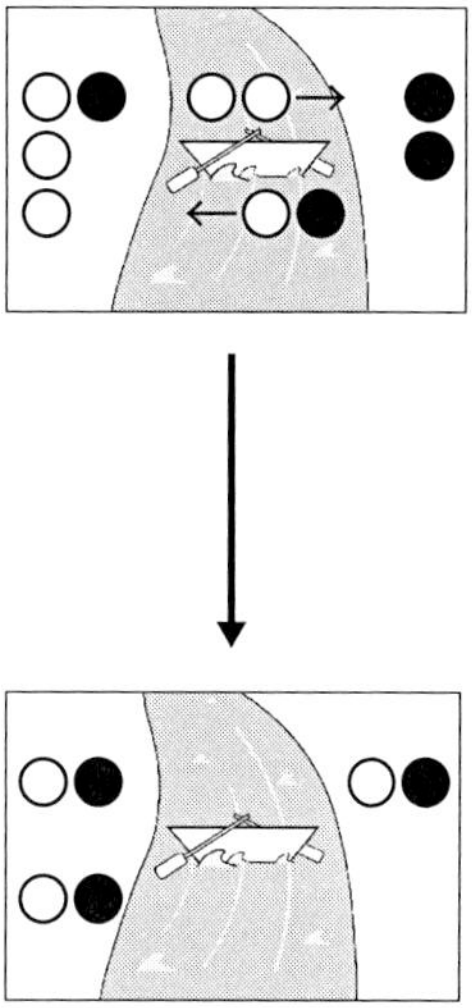

④味方二人が対岸に向かい、
敵一人が戻る。

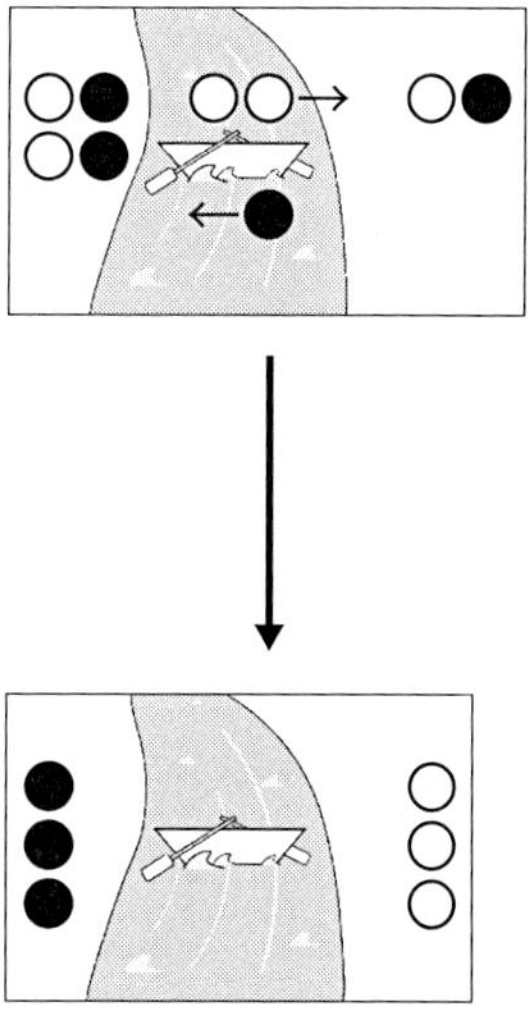

⑤敵二人が対岸に向かい、
敵一人が戻る。

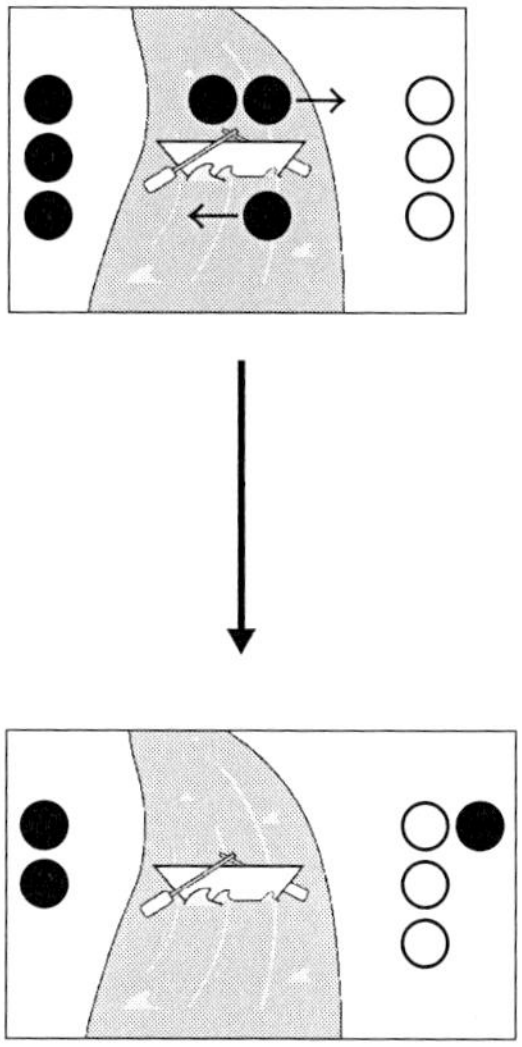

⑥敵二人が対岸に向かう。

これですべて無事に渡れると
いう説明でした。

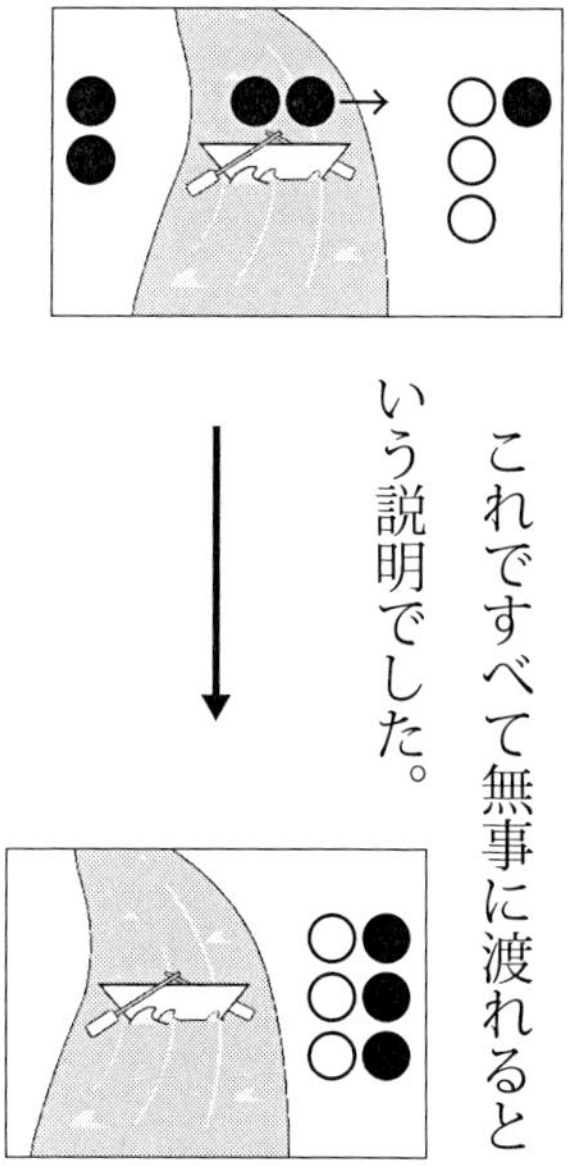

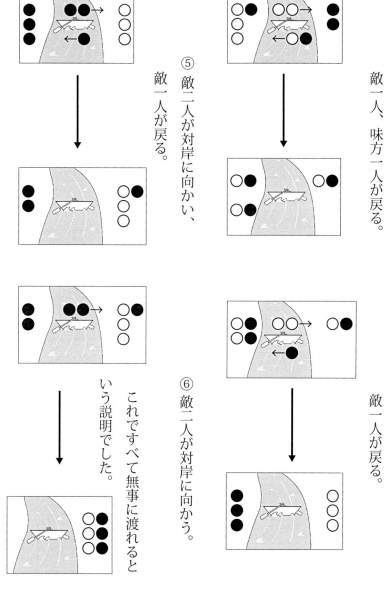

(2) 解答その2

女子の生徒が、ペンを使って説明してくれました。解答はその1と①～④までは同じですが、⑤から違いました。⑤のところからの説明を書きます。

⑤ 敵二人が対岸に向かい、
味方一人が戻る。

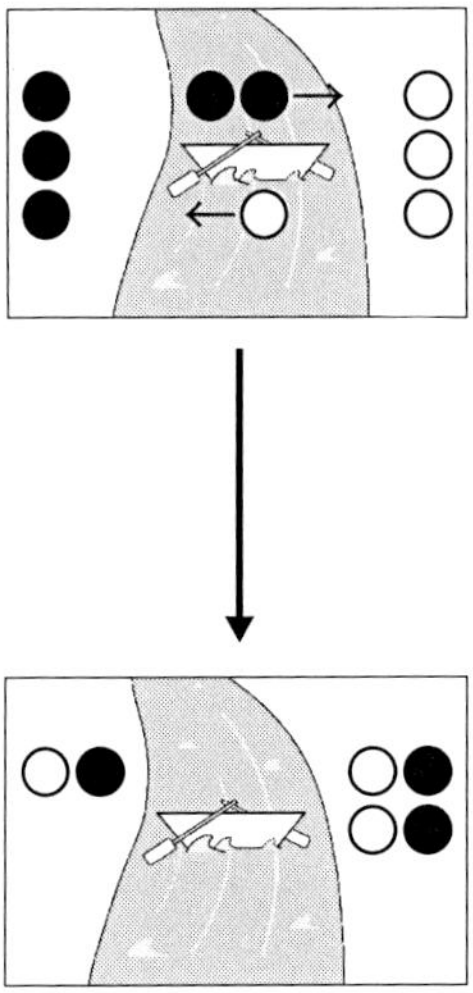

⑥ 敵と味方で対岸に向かう。

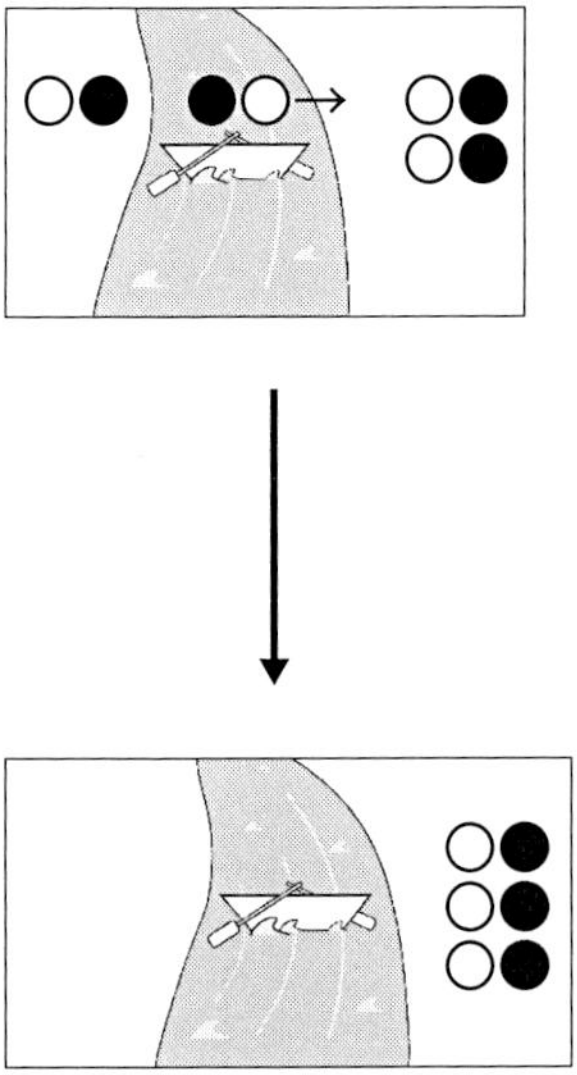

いずれの解答も試行錯誤をしながらもよく解決してくれました。

4　解答を振り返り、次に生かす

この問題を考えても解決ができない人もいたと思いますが、試行錯誤をする経験が大切なのです。辛抱強く繰り返して行くうちに、考える力がついてくるのです。

さて、この問題の条件を変えるとどうなるでしょうか。例えば、敵と味方の人数や、船の乗れる人数を増やしたり、減らしたりしてみるとどうなるか。どういう場合に可能なのか。こうしたことを考えていくことにより、さらに発展した見方や考え方が生まれて来ます。

教えてもらったことを使うのでなく、自ら発見するということには、無駄が多いのでなかなか最後まで根気が続かないこともよくあります。それでも、少し休んで、しばらくした後とか、何日かやらずに放っておいたときに、解答がぱっとひらめくときがあります。

数学に限らず、仕事をしているときに見通しが立たないで、どうにもならないということがあります。しかし、しばらくしてからふとヒントを思いついたり、道筋が見えたりしてくるときがあります。

私の趣味は将棋ですが、詰め将棋を解くときに、なかなか思い浮かばないことがあります。問題の図は頭の中にありますので、ふと休んでいるときに、解答が閃くことがあります。

皆さんも時には、こうした経験をしてみるといろいろなことに役立つと思います。

似たことはないか前に戻って考える

ものごとの解決をするときに、それと似たようなことをこれまで経験したかどうか振り返ってみます。そして、とりあえず嘗て経験した方法と同じようにして取り組んでみます。それで解ければよいわけですが、全てがそれで解決できるかというと、そうでもありません。それでは、この問題の前に出会ったことはどんなことがあったのでしょうか。一連の問題が続いているときには、「それ」の前に取り組んだ方法を思い出してみるのも一つの方法です。

日常の中で、数学の勉強をしたときと同じような考え方をしていることが実際は多いのですが、それを意識している人はあまり多くはありません。数字は出てきません。図形の問題ではないので数学に関係があるとは思えないのです。ところが、形を変えていろいろな場面で活用できる数学的な見方や考え方や方法が、その中にあるのです。それをうまく使えるようにしたい。これは教える側の問題でもあるかもしれません。幅広く、視野が広がるように指導し、沢山の可能性のある見方や考え方を身に付けさせるようにしたいものです。そのためには、どうすればよいのでしょうか。

数学の問題を解くときに、その問題と似た経験や前の時間に学習したことが参考にできないか、まずは考えるはずです。どの教科の勉強でも、それまでに学習したことを元にして、新しい学習に対応しようとすることが普通なはずです。どこかで出会った問題ならば、その通りにやればよいのです。

例えば、足し算や引き算の仕方を学習したら、後はそれと同じようにすれば解けるということを小学校の始めに習います。そして習った後には、それに慣れるために練習します。その練習をしている時に、約束通りにやればよいことは分かっていても、間違える時があります。簡単なことでも慣れないために、約束通りにしたつもりでも、そうしなかったということがよくあります。「約束通りの中身が理解しきれていないか」「ちょっとしたケアレスミスか」など、いろいろなケースがあります。何度かこれを繰り返すと、そこで自信をなくしてしまうことがあります。自信がないときには、成功体験を与えて、失敗で萎えそうな気持ちの強化を図ってやらなくてはいけません。これが初めのうちは大切です。「学習の十分な理解には繰り返し練磨すること」「間違いや失敗は、決してムダにならないということ」など、こうした経験をすることにより、いろいろな道筋も見えてくるのです。その上で確かにそのことが正しいと裏付けをもった自信が備われば、これに勝るものはありません。「間違いや勘違いしていたことを振り返ることにより学習は強化される」ということを理解しておきたいものです。自信をなくす必要は全くないのです。むしろ「自分の成長に役立てることができるものなのだ」ということを理解し、前向きな姿勢を持ち続けるようにすることが大切です。これから始まる様々な未知への挑戦をする上で、それは大いに役だっていくのだということを心にとめるように指導しておきたいものです。うまくいかないのは十分に試行錯誤していないために、解決までの手順や方法が形式的操作の段階に至っていないために起こっていることを。これを克服するには、形式的な操作を頭の中で、自然にできるようにするまで練習や試行を繰り返すことが必要です。ここで飲み込みが早い人と、そうでない人が出てきます。飲み込みが早い方がよいのでしょうが、それが一番よいとも言えない現実があります。努力で何とかなる部分がある場合には、慣れるのに時間がかかることをあまりに気にしない方がよいのです。時間をかけて身に付けたものは、その分忘れにくくなっているはずです。着実な努力の積み重ねのできる資質こそが問題解決に際しては極めて大切なのです。

集合について（ものの集まりと対応）

世の中の動きはすべて「ものの集まり」から「ものの集まりへの対応」によって成り立っているといっても過言ではありません。ただ、そのことを意識しないでいるだけなのです。

今日は、ものの集まりについて考えてみます。

まずはじめに、次の漢字を仲間同士に分けてみましょう。…できましたか？

次の問題に移ります。

「自分の生まれた月は何月ですか。」

「さあ、それぞれの生まれた月ごとに分かれてください。」

一月　…十二月と、月ごとに集合する場所を決めておく。

「それでは、次に自分のクラスの所に集まってください。」

今、皆さんにやってもらったことは、実は数学的な考え方なのです。

数学とは、計算をしたり図形の問題を解いたりというようなことだと思っている人が多いと思いますが、皆さんは、生活の中のいろいろなところで無意識に数学的な考え方をしているのです。

例えば、今座っているところは、前から何番目かにあたるところにきちんと座っています。朝会の時も、「そこ」に座るということをしています。つまり、自分自身と座る場所が対応しているのです。その通りに座るということは、関数的な考え方なのです。

もう一つ例を挙げます。毎日家から学校に通います。これは、式では書けませんが、「平日の月曜日から金曜日に、朝何時までに行くところ」という言葉を使った関数を毎日解いているのと同じなのです。下駄箱の場所もそうです。机の座席もそうです。一つの所に一つのものがくる。このことを一対一対応と言いますが、まさに対応という考え方をしているのです。

そんなものかと思う人もいるかもしれませんが、話をすると、もっといろいろなところで、皆さんは数学的な考え方をしているのです。

先程の漢字の勉強もそうです。同じ仲間同士をまとめるということは、ものの集まりを決める関数なのです。ですから、国語の勉強をしているうちに関数の対応という考え方を使っているのです。だから、結構皆さんは数学が得意なのです。

学校で勉強しているもののほとんどは、この関係や対応ということに関わっているのです。極端な言い方をすると、いま話をしているときもそうなのです。自分の頭の中で皆さんに伝えたいことを日本語に置き換えているのです。だから、正しい言葉遣いをするということができるということも、無意識の対応をしていることなのです。

言葉で言うと複雑なものも一瞬のうちに理解し対応しています。授業が始まるときには、きちんと座り学習する。これもひとつの対応です。正しい対応を繰り返して学習する。これで身に付けたものを習慣づけできれば、今までの狭い関係、家庭、学校というところから広い社会に出たときに大体は困らないということになります。身に付けることができていれば、いろいろなところでも同じようにその学習を生かしていけます。その時だけ正しい対応をすればよいと思う人がいるかも知れません。ところが、これが案外すぐに分かってしまう。学習されているものは、いろいろなところで一見正しいことをしているようですが、気持ち、心の面までがそうなっていないことがすぐに分かってしまうのです。人として、正しい振る舞いをするということを、大人になる直前の皆さん、ぜひ身に付けてください。

数学とは全く縁のないようなことでも、よくよく考えてみればまさに数学的な考え方をしていることになります。

よく正しいか間違っているか分からないことがあります。その時の解決方法として、同じ集合に属するものかそうでないかによって、これを判断できることがあるのです。

「N＝1」数学的帰納法は生きている
………駐車場から見えるもの………

教育センターの駐車をスムーズにする鍵は一台目の車が握っている。一番最初の車が校舎側一番奥のところに駐車してあると、次の車のほとんどは黙っていても、その隣に駐車する。二〜三台続いて止めてあれば、よほどのことがない限り次の車はその隣に止める。

しかし、一番最初の車が中途半端な位置に駐車していると、こうはいかない。次に来場した車も、勝手な位置に駐車する。というよりもルールがないので、そうなってしまう。これが続くとどうなるか。駐車している車が邪魔をして、本来ならば駐車できるスペースに車が置けなくなる。教育センターの駐車場所は校庭なので、駐車線の仕切りはない。無駄なスペースが増えることにより、駐車できる車の台数がどんどん減ってしまう。また、規則正しく駐車していないと危険なことがある。一般の駐車場は車の入退場の時間は決まっていないので、集中することはあっても多少は時間差がある。教育センターの場合には、研修会等、集会の受付時間は限られており、車が駐車する時間は集中している。出庫する時間もほぼ同じ時刻になる。特に研修会等の開催が多い日は、一〇〇台を超える車が駐車することもあり、きちんと駐車していかないと混乱する。駐車時間と出庫時間が集中する教育センターでは、短時間で合理的に駐車することが出庫をスムーズにすることにもつながる。

そのためにどうしているか。駐車のルールを駐車するみんなが分かっていること。分かっていなくても合理的な動きが自然にできるような仕組みを整えておくこと。

特に、日々の駐車の様子から見ても一台目の車がきちんと止めてあるかどうかが非常に大事であること。こうしたことを踏まえ、できるだけ早めに駐車場に駐車担当は行く。一番目の車が、校庭の駐車スペースの先頭校舎側に止めるようにするのだ。こうすると先ほど話をしたように、順次その後の車もそれに続いて駐車していく。このような決まりに従って駐車をした車は、帰るときにも流れにそって順次出庫していくので混乱がない。まさに学習の成果が帰るときにも生きて働いているのだ。

また、行がいっぱいになったら、次の列のはじめのところに車が来るようになっていることも大切である。こうすると先ほどと同じように次々とこれに続いて駐車していく。指示がなくても学校事務職員の皆さんはこれが徹底している。適正かつ合理的な考えは事務処理だけでなく、こうしたところにも通じている。また、何度もセンターに来る人、例えば初任者などは何も言わずにこうした止め方をするようになる。無意識の気配りがこの中にある。学習の流れが分かっていると、その後の学習もスムーズになるのと同じである。

ボタンの一番目をきちんと止めていればなんともないことなのだが、急いでいるときに限ってボタンを二番目に止めてしまい最後になってずれていることに気付いたことがないだろうか。これが結構腹立たしい。何しろ途中からやり直ししようと思ってもそれができない。慌てて初めからやり直しする時に「数学的帰納法のN＝1だよな」とニコッとなれればいいのだが……。

数学の問題を考える（例題一）

ある日のこと、仲の良い友達三人が「雷電山」の山小屋に集まり、カレーライスを作ることになりました。稲葉君がお米を買ってきました。杉田君がカレー粉、肉、野菜等を買ってきました。渋谷君は忙しくて少し遅れてくるとのことでした。

稲葉君と杉田君は自分の家でよく食事を作っているとのことで、渋谷君を待っている間に二人でご飯を炊き、カレーも作ってしまうことにしました。忙しい渋谷君が来た時に一緒に食べられるようにしておこうと考えたのです。

杉田「火はどうする？」

稲葉「切り倒されて乾いた木がそこにあるから、それをナタを使って割って薪を作ろうよ。」

杉田「了解。二人で交代しながらやろう。」

食事作りを終えて二人が休憩していると、汗をかきながら渋谷君が「ごめん、ごめん、遅くなって……」と言いながら、山小屋にやってきました。
二人「お疲れさま。仕事の方は大丈夫？」
渋谷「うん。何とか一段落したので急いで来たけれど、待たしてしまい、すみませんでした。」
杉田「少し前に食事の方が出来上がったばかりだから、ちょうどよかったよ。」
渋谷「えっ、ご飯を作ってくれたの？」
稲葉「たいしたものは作れなかったけれど、二人でカレーを作ったんだよ。」
渋谷「ありがとう。うれしいな。」
杉田「早く食べようよ。」
稲葉「そうしよう。そうしよう。」
渋谷「ちょっと待って。ずっと待たしておいて何もしないのに、ご飯をいただくのでは申し訳ないよ。いくらかかったの？」
二人「いいから、いいから。渋谷君は、いつもいろいろなことを手伝ってくれているから。」
渋谷「そうはいかないよ。材料代は三等分で払わせてよ。それから薪も八束使ったようなので、少ないけれど、燃料代として八〇〇円払わせて。」
二人「そんなに気を使わなくていいのに。でも、それで渋谷君の気が済むのなら、ありがたくいただくよ。」
稲葉「杉田君、薪はどうしたっけ？」
杉田「僕は三束。稲葉君は？」
稲葉「僕は五束作ったけれど、八〇〇円を二等分すればいいんじゃないの？」
杉田「そうはいかないよ。きちんと分けようよ。」
稲葉「面倒だし、きちんと分けるとなると、どうすればいいか分からないよ。」
渋谷「稲葉君、杉田君、お腹もすいたし、せっかく作ってくれたのだから、とりあえずご飯をいただこうよ。それから、ゆっくり納得する分配の仕方を考えてよ。」
二人「そうだね。先ずは食べよう。」
三人は一斉に「いただきまーす。」
楽しい楽しい食事の時間が始まりました。そして、そのあと三人でどうやれば稲葉君と杉田君が八〇〇円を分けられるか考えてみました。果たして、どうなったのでしょうか。

解答らしきお話（「数学の問題を考える　例題一」から）

渋谷「ああ美味しかった。」
杉田「コーヒータイムにしませんか。僕が淹れますよ。」
稲葉「うれしいな。」
　三人は、美味しいコーヒーを啜りながら、薪代の分配の仕方について、それぞれの考えを披露し合いました。
　三人にとって薪代が多い方がよいとかそういうことではなく、どう分けるのがこういう場合にはいいのかという真理を追求することに興味があったのです。
稲葉「これはお互い様だから、二等分で四〇〇円ずつ分けるのが一番いい方法だと思うけれど、こうした時にはどういう分け方をするのが一般的なのだろう。」
渋谷「薪は八束作ったと聞いたので、一束一〇〇円と考えて、五束の方が五〇〇円、三束の方が三〇〇円と単純に考えて分かりやすく八〇〇円にしたのだけれど……」
杉田「それもありだと思うけれど、何となく、もう少しいい考えがあるような気がするんだけれど……」

稲葉「渋谷君が八〇〇円払ったのだから、一人分が八〇〇円と考えるのはどうだろう。」
杉田「そうすると、三人分で八〇〇円×三人＝二四〇〇円ということになるのかな。」
稲葉「八束で二四〇〇円だから、一束三〇〇円と考えるのでいいのかな。」
渋谷「その考え方でいくと、自分で考えていた分け方とは違ってくるけれど、
五束では三〇〇円×五束＝一五〇〇円、
三束では三〇〇円×三束＝九〇〇円、
そうすると稲葉君は一五〇〇円分、杉田君は九〇〇円分の薪代を払ったことになる。一人分の薪代が八〇〇円だから、それぞれを引いた金額がもらうお金ということでいいのかな。」

杉田「計算すると、一五〇〇円―八〇〇円＝七〇〇円が稲葉君へ、そして僕が、九〇〇円―八〇〇円＝一〇〇円となる。これならば納得できる。」
稲葉「それでいいのかなあ。」
杉田「これが数学的にも正しい考え方だよ。」
渋谷「すっきりしましたか。それでは、そのように分配してください。」

二人「了解です。」
稲葉「ところで、アイス食べたくない？」
杉田「食べたい。食べたい。」
稲葉「少し先にお店があったから、そこに行ってアイスを買ってくるよ。」
渋谷「ありがとう。お金はいくら払えばいい？」
稲葉「いいよ。さっきもらったお金があるから。」
杉田「少ないけれど、僕の一〇〇円も使ってくれないかな。」
稲葉「了解です。」

　お金の分配の仕方は納得しましたが、そのこととお金の使い方は、結局、三人にとっては別の話だったようです。

刑事ハイリホーの推理 「$\sqrt{2}$の正体」

〔一〕

ある日のこと、ハイリホー刑事は$\sqrt{2}$が、「俺は有理数の世界の数だ。」と言っているのを耳にした。

有理数の世界では、何でも分数にすることができることから、計算するのに便利で、昔から数の世界では「良いところ」であることが知られていた。しかし、それとは違う国もあり、そこは暗黒の世界として恐れられ、その恐ろしさの実態についてはよく知らない人が多かった。

そのような中、ハイリホーは、「$\sqrt{2}$が違う世界からやって来た「未知の数」ではないかと推理し、独自に調べを進める中であることを思いついた。そして調べに調べ、とうとう$\sqrt{2}$が有理数の世界の数ではないということを解明した。

ハイリホーの住んでいる所からそれ程遠くない一番地と二番地の間に$\sqrt{2}$は住んでいたのだ。

ハイリホーは突き止めた場所に向かい、$\sqrt{2}$と対決することになった。

〔二〕

　コンコンと、ドアをノックするハイリホー。すると、$\sqrt{2}$が正方形の対角線のように、体を斜めにしてハイリホーの前に現れた。

「どなたでしょうか。」

「私は、数の世界の治安を守るハイリホー刑事だ。私は、あなたが有理数の世界に居ることがおかしいと常々思っていた。そこで、今日はあなたの取り調べに出向いた次第だ。少し話を聴かせてもらうよ。」

$\sqrt{2}$は、恐る恐るドアを開け、ハイリホー刑事を家の中に迎えた。

「ハイリホー刑事、私はこの通りの数ですから、有理数の世界であまり仕事はしません。でも、この世界の数でないことは決してないはずです。」

「それは、これからの調べで分かることだ。正直に答えてくれたまえ。」

「それはもう、いつもお世話になっている世界のことですから、全面的に協力しますが、でも……」

$\sqrt{2}$は不安そうに答えた。

「では、さっそく話を始めよう。」

　ハイリホー刑事は、自信に満ちた顔つきで話し始めた。

〔三〕

「あなたは『有理数の数だ』と言ってここに住んでいるが、本当なのかい？」

「それはもう、間違いないですよ。」

「では聞くが、あなたは自分自身を分数で表せるとでもいうのかね。」

「もちろんです。疑うのなら、ぜひ私を分数にして調べてみてください。」

$\sqrt{2}$は、――今まで長い間、誰も説明できなかったことを、ハイリホー刑事にできるはずがない……、と思い、少し自信を取り戻した。

「それでは、あなたの言う通りに分数にしてみよう。」

　ハイリホー刑事は相手の顔を見ながら、落ち着いて言葉を続けた。

「例えば、あなたをa/bという分数にしてみよう。」

「a/bですか。aやbは当然、正の整数ですよね。」

「そうだ。もうこれ以上約分できない分数にしてみるが、いいね。」

「そうすると、8／10とか6／9みたいなものでなく、4／5とか2／3といった分数ですね。構いませんよ。でもハイリホー刑事、aとかbとかといった文字だとどうも分かりにくいので、何か数字にしてもらえますか。」

「それは、少しばかりおかしくないかね。あなたは自分のことを分数で表せると言っていたじゃないか。そんなことを言うのな

$\frac{8}{10}$は約分できる

$\frac{8}{10} \rightarrow \frac{4}{5}$

$\frac{6}{9}$も約分できる

$\frac{6}{9} \rightarrow \frac{2}{3}$

$\frac{4}{5}$や$\frac{2}{3}$は約分できない
これ以上約分できない分数を
既約分数と言う。

らば、自分で自分自身を分数で表してみたらどうかね。」

$\sqrt{2}$は（しまった）と思った。調子に乗って、自分でも自分をどのようにして分数として表せばよいか分からないのを、ついうっかり口を滑らせてしまった。

「今のは取り消します。まだまだ、謎解きの楽しみを取っておきましょうよ。」

$\sqrt{2}$はおどけたように言った。

ハイリホー刑事はほくそ笑みながら言葉を続けた。

「それではもう一度、話を戻そう。あなたを仮にa/b、すなわち、もうこれ以上約分することができない分数、要するに、既約分数ということにしてみよう。よろしいかね。」

「はい。」

「式で書くと、$\sqrt{2}$=a/b、そしてa/bは既約分数ということになる。いいね。」

「はい。ハイリホー刑事、このあと私をどうしようというんですか。」

「あなたは正体のつかみにくい数だ。だから、あなたには私の知っている世界の数に変身してもらおうと思っている。」

「変身ですって！」

「そうだ。」

「どうやって変身するのですか。」

「それは、あなたが生まれた時の約束を思い出してみればよいことだ。」

「生まれた時の約束？」

「まだ分からないかね。あなたの定義だよ。」

「私の定義……」$\sqrt{2}$は段々不安になってきた。しかし、答えないわけにはいかなかった。

「私は2乗すると2になる正の数……ということは、先程の式を2乗するということですか。」

「そうだ。」

「$\sqrt{2}$=a/bの両方を2乗するということですね。どうなるのでしょうか。」

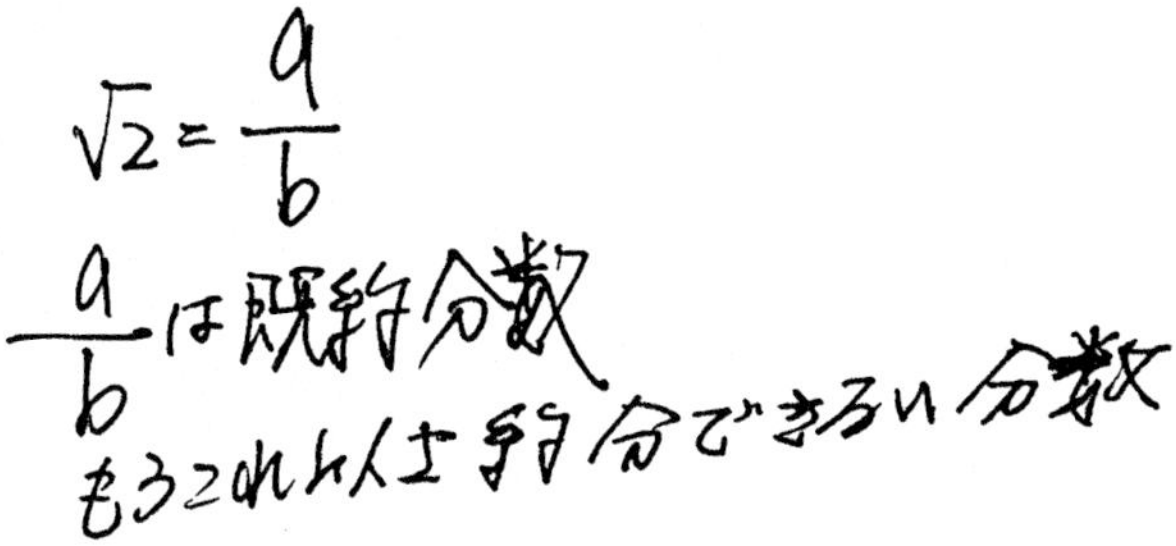

「数の世界では、片方だけを2乗することはきつく禁止されているからね。あなたも知っているだろう『数の世界の憲法』の等式の性質についての箇所を適用するのだ。」

$\sqrt{2}$はハイリホー刑事が何をもくろんで、そのようなことをするのか分からず困った。自分の生まれた約束を使うことにかすかな不安を感じたのだ。

$\sqrt{2}$が黙っていると、ハイリホー刑事が言葉を続けた。

「では、2乗するよ。$(\sqrt{2})^2=(a/b)^2$ということだね。

「……………」

「さあ、やって見せてくれたまえ。」

「はい。私$\sqrt{2}$は2乗することによって、2に変身します。」

今までもやもやしていた$\sqrt{2}$の周りが途端にはっきりと映し出され、そこには2の姿が見えてきた。

$$(\sqrt{2})^2=\left(\frac{a}{b}\right)^2$$

$$2=\frac{a^2}{b^2}$$

「変身しましたが、右辺はどうしますか？」

「それも、当然2乗しなければならないね。」

「ということは、$(a/b)^2=a^2/b^2$だから、先程の式は、$2=a^2/b^2$ということになりますね。しかし、分数で分かりにくいですね。もう、やめませんか。」

「それはできない。私にはよく分かるよ、$\sqrt{2}$君。いやいや変身して2になっていたんだね。これは失礼した。分数で分かりにくければ、等式の性質を使って分母を払ってみてはどうかね。

そのためには、両辺にb^2をかければよいかな。」

「$2\times b^2=a^2/b^2\times b^2$ということですか。」

「そうだね。そうすれば$2b^2=a^2$となってよくなるじゃないか。」

「そう言われれば、まあそうですが……」

「さて、あなたはこの式をどう考えるかね。右辺と左辺を書き直してみると、もっと分かりやすくなると思うが、いかがかね。つまり、$a^2=2b^2$……どうだね、分かるかな？」

「ええ、まあ…………」

「aもbも整数だから、a^2はどんな数か分かるだろう？」

「$a^2=2\times$（整数）だから……a^2は偶数ということですか。」

「その通り！　a^2が偶数、すなわち2の倍

$$2=\frac{a^2}{b^2}$$

両辺にb²をかけると

$$2\times b^2=\frac{a^2}{b^2}\times b^2$$

$$2b^2=a^2$$

書き直すと

$$a^2=2b^2$$

a^2が2×(整数)だから偶数

a も当然 2×(整数) だから偶数

数ということになる。ということは、ａはどんな数か分かるだろう。」

「つまり、２乗して偶数になる整数ということですから、当然、ａは偶数にならないとおかしいですね。」

「そうだ。２乗したものが偶数なのに、元の数が奇数になるはずはないからね。」

「そうすると、式で書くと、a=２×（整数）ということですね。」

「うむ。もう一つ、ここで文字を使ってみよう。整数の代わりにｍというものを使ってみたらどうなるかね。」

「a=2m（ただしｍは整数）となりますね。」

「ということは、先程のように分母を払った式に代入をすると、どうなるかな?」

「ハイリホー刑事、私に何をやらせようとしているのですか？　私には、訳が分かりませんね。」

「あなたは、私の言う通りにやっていればよろしい。もう少しであなた自身のことがはっきりする。辛抱しなさい。」


ハイリホー刑事に強く言われ、２に変身した$\sqrt{2}$は、仕方なく言われたとおりに動き始めた。

「先程の式というのは、$2b^2=a^2$のことですか?」

「そうだ、」

「そうすると、$2b^2=(2m)^2$ということになりますね。……うん、分かりました。ここでまた右辺の括弧を外せと言うんでしょう?」

ハイリホー刑事はニヤリとし、そして頷いた。

「$2b^2=4m^2$。2で両辺を割って、$b^2=2m^2$ということですね?」

「そうだ。そして、先程と同じことをやってみたまえ。」

「はいはい。分かりました、分かりましたよ。」

「返事は一回で十分だ!」

「はい。$b^2=2m^2$になるから、b^2は偶数になる。ということはbも偶数。だから文字で表すと、b=2×(整数)。ということは、整数のところを文字を使って表すと、b=2mになる。」

「いやいや、途中まではよろしいが、最後の

$2b^2=a^2$ に

$a=2m$ を代入して

$$2b^2=(2m)^2$$

$$2b^2=4m^2$$

$$b^2=2m^2$$

b^2が偶数だから

bも偶数

ところがおかしいぞ。先程と同じ文字を使ってはいけない。」

「なぜですか？」

「それは、ａとｂが違う数だからだ。同じ文字にすると、同じ数になってしまう。」

「では、何にしたらよろしいでしょうか。何でもいいですか？」

「それでよろしい。」

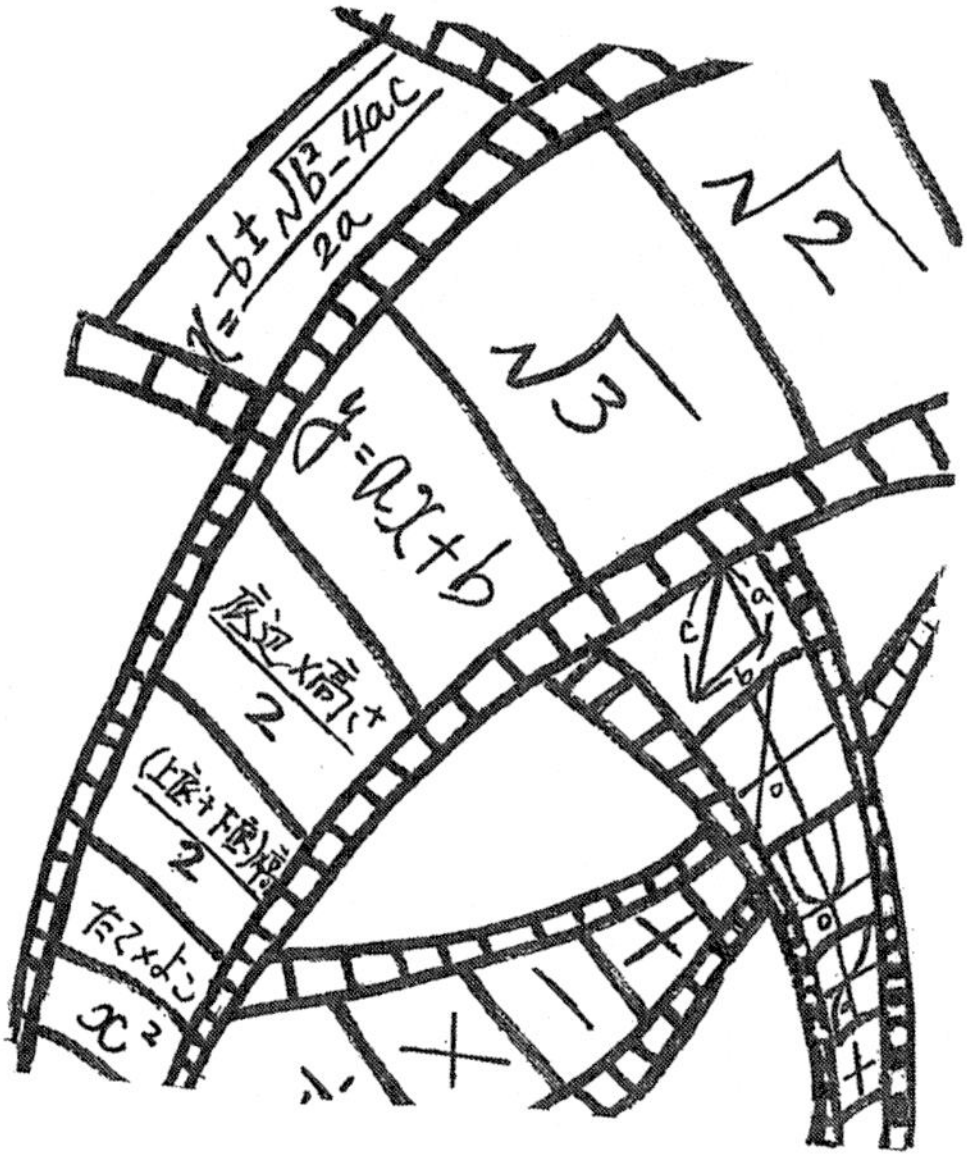

「では、アルファベットで、ｍの次のｎにします。b=2n（ただしｎは整数）ということですね。」
「どうだね、自分のことが分かってきたのではないかね。」
「いや、全然分かりませんよ。今までやってきたことから、何が分かるというのですか。私のことなんか、ちっとも分かっていないじゃないですか。」
「果たして、そうかな。始めの約束を思い出してみたまえ。」

「始めの約束というのは、私を式で書くと$\sqrt{2}=a/b$（a/bは既約分数）ということですか。それがどうしたというのですか。私にはちっとも分かりません。」

「今までやってきた結果を代入すれば分かることだ。早速、代入してみようじゃないか。」

言い知れぬ不安が$\sqrt{2}$を襲ってきた。なぜか、変な気分になってきたのだ。（俺はこのままでいくとどうなるのだろう？　心の中でつぶやいた。もしかすると、もうこのまま数の世界から弾き飛ばされてしまうのではないか……そう考えると、今までのように、ハイリホー刑事の言いなりにはなっていられないと思った。

「いやです。」きっぱりと答えた。

「それならば、私がやってみよう。$\sqrt{2}=a/b=2m/2n$ということだ。」

「………！」

——そうか、自分はこれ以上約分できない分数と言っていたのに、なんと、まだ2で約分ができるのか！　これはまずい！

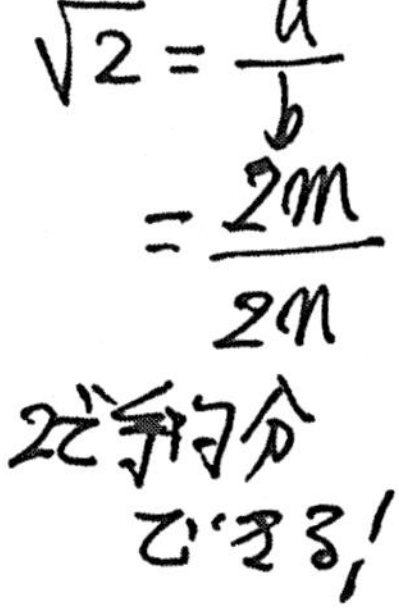

$\sqrt{2}$はどうしたらよいか分からず、下を向いてしまった。

ハイリホー刑事は言った。

「そう、あなたが心の中で呟いたように、これ以上約分できないとしていたのに、なんと、また2で約分できることになってしまったのだ。

ハイリホー刑事は続けた。

「あなたを分数、即ち有理数としたことが、このようなおかしな結果を導いてしまったのだ。そう、あなたは『有理数』ではないのだ!」

「だとしたら、私は何者なのですか? 私は、この数の世界に住んでいてはいけないのですか?」

$\sqrt{2}$は崩れ落ちそうになりながら、どうにか歯を食いしばりハイリホー刑事に刃向かった。

「そうではない。あなたは、今まで長い間、無視され続けてきた。しかし、それは周りの見る目がなかっただけの話なのだよ。」

「それは、どういうことですか?」

ハイリホー刑事は穏やかな口調で言った。

「何千年という長い間、あなたを理解できるだけのものが現れなかったということだ。あなたの素晴らしさと、価値のあることを理解する者がいなかっただけのことなのだ。あなたは、これからの数学にはなくてはならない、非常に大事な数そのものなのだ。」

「私がなくてはならないもの？　それは、どんなときなのですか？」

先程までとは違った、微かに光が見えてきたような不思議な気持ちのまま、$\sqrt{2}$はハイリホー刑事に尋ねた。

「それは、今までみんながあなたを避けてきたことの中にあるのだ。」

「避けてきたこと？」

「そうだ。方程式や図形、関数、その他にもたくさんあるのだ。」

「確かに、方程式や図形、関数などの中で、今まで私を使ってもらったことはありませんでした。でもそれらの中で、どうして私が必要なのですか？」

「そう、必要なのだ。」

「まだよく分かりませんが……」

「分からないのも無理ないかもしれない。これからそれは始まるのだ。しっかりしてくれよ。」

「では、私はこれからも、この1番地と2番地のこの間に住んでいてよいのですか？」

「もちろんさ。あなたは、私がここに訪ねてきたことを、そして尋問したことを自分にとって不利益になるものと決めてかかっていたかもしれないが、そうではないのだよ。確かに、私もあなたを調べ始めた時は、あなたは怪しいもので、もしかしたら数の世界のものではないかもしれないと考え、疑った。しかし、あなたを調べれば調べるほど、あなたは素晴らしい数だということが分かってきたのだ。」

「素晴らしい数？」

「これから、少しずつ分かってくることなのだよ。この数の世界で、もう今までのように後ろめたさを感じながら生きるのではなく、堂々と振る舞ってくれたまえ。」

「でも、ハイリホー刑事、私はもう有理数ではないわけですよね。何か変な感じです。『名無しのごんべい』みたいで。」

「確かに、あなたの気持ちも分かるな。………！　そうだ！　これからはあなたのことを有理数でない数、分数にすることが無理な数として、『無理数』というのはどうかね？」

「無理数……」

「どうかね？　お気に召さないかね？」

「いえ、いいですね。私は無理数。そう、私は無理数なんだ！」

自分の存在がどういうものか分からずにいた$\sqrt{2}$は、誇らしげに何度も何度も叫んだ。

3章

学校のこと

一つの事象は全体の傾向を表す

日々いろいろなことがあります。多くの場合、それだけが問題と思わないことが大切です。何か問題が発生したとき、そのことだけでなく、全体がそれと同じ傾向にあるものです。

これは個人の場合だけでなく、会社や学校等、様々な組織についても同じことが言えるはずです。問題が発生したときに、このことを頭に入れて、組織の皆なにそのことを伝え、「こうしたことはよくあるのだ」ということを、組織の全員が常に意識しているようにしておきたいものです。一人一人が問題発生や様々な障壁を事前に防止し、自主的に課題を排除しておこうとする心がけを持つようになれば、強固な意志を共通にもった組織として更に成長できるはずです。人がいればどこでも、いろいろな問題が起こります。その問題だけを考えていると、根本的な課題の解決にはなりません。次々と問題が発生したときに困るだけなのです。

人間は、多かれ少なかれ、ある一定傾向や方向性といったものを持っています。このことは、

人の集まりである会社や役所等、様々な集合についても同じことが言えます。ある所だけが特別に変わっているということは、あまりありません。問題となっている所だけでなく、問題になっていない部分についても、考え方や行動などに同様の傾向があるはずです。たまたま問題が表面化しないで済んでいたか、誰かが、あるいは何かがこれを補ってくれていたのかもしれません。

また、そのほかの部分ではこうした傾向が、問題にならない構造や仕組みになっている場合もあります。ここで更に考えるべきことは、「今、それが問題であっても、時代や場面によってはそうした傾向のある人や組織が必要になることもある」ということです。

例えば、平和な時代のリーダーにはどのような人が望ましいでしょうか。その逆に、乱世の時代ではどうでしょうか。歴史が示すように、戦国時代の混乱の時には、強く激しく厳しい、常に的確な判断に基づいて機動的に素早く組織を動かせる人でなければいけないでしょう。「残酷でもあり、恐ろしい決断も果敢に行い、批判や恨みをものともせぬ強い意志を持ち合わせていなければ、自分自身の立場の重さに飲み込まれてしまう」ことになるのです。それぐらいでなければ、ただでさえまとまらない戦国大名をまとめることなどできません。

平和な時代でも乱世と同じ資質が必要なものも当然あります。しかしながら、「時間的な経過を見ながら長い目で物事を考え、落ち着いた対応が多くの場合必要になってくる」はずです。速さよりも、全体のバランスを考え、どの方向に国を導いていくか、「着実に実現していく粘り強さ」が大切かもしれません。

このように、一概にマイナスと決めつけていたものは、場面や場合によっては変わってくるものです。今、問題になっていることは常に問題かというと、「そうではない」ということもあるのです。

物事の内容によって、好ましい場合もあるのです。問題となってしまうのは、その行動傾向をそのまま用いると拙い場合があるのに、そのままにしておくことなのです。いろいろな場面やケースによって、ものの見方や考え方を柔軟に切り変えることにより、それまで問題だったものが望ましいものになることもあるのです。

関係の理解と言葉遣い

「あなたの言葉遣いはどうですか。その場や相手に応じた言葉遣いができますか。」

言葉遣いというものは、身に付けるものというよりは、身に付いたものという方がいいかもしれない。

知らず知らずのうちに日々積み重ねる中で、自分の身の回りから受ける影響は大きい。日頃から様々な人との交流を通して、その場に応じた望ましい立ち居振る舞いが自然に身に付けられればいい。そうなれば当たり前なことが当たり前にできるので、無理する必要もない。普通のことだから困ることはない。

ところが、何もないところで揉めたりするということが日常的にあるということは、どこかに問題があるはずだ。いちいちぶつかっていたのでは日常生活に支障が出る。そうしたことが多いという人は、どこか修正する必要がないか、自分の身の処し方を振り返ってみた方がいい。

さて、ここまでの話をあなたは素直に受け入れることができているだろうか。もう腹が立っているとしたら、既におかしいのである。

一　言葉の使い分け

人と話すときの言葉遣いは、どのように区別されるのだろうか。友達と話をするとき、先輩と話をするとき、先生と話をするとき、一般の人と話をするとき、親と話をするとき、兄弟で話をするとき等、それぞれどのような話し方をするだろうか。

区別がつかない時期はもう過ぎている。成長するに従って社会性が身に付いてくる。社会的に自立するということは、それぞれの関係に応じた立ち居振る舞いができるようになるということとも考えられる。区別がつかずにそのまま大人になるということはあり得ない。狭い関係のままで留まっていればそれで済むかもしれないが、そうはいかない。

人は一人では生きてはいけない。いろいろな人に世話になる。また、逆に自分の社会的な役割に応じて人のために尽くしたり、それに応じた対応をしたりすることもある。これができないで生きるということは、大人として生きる上で到底あり得ない。

二　勘違いと成長

ところが、こうしたことを勘違いしている人がいる。特に若い頃によくあることだ。自分の範疇で物事を考えるから間違いが起こる。自分の生きている社会は、社会全体のほんの一部に過ぎない。このことが分からない。狭い範囲でしか成り立たないことなのに、全てに当てはまると思う間違いを起こすことがある。

若い頃には許される。でも限度がある。無礼な振る舞いは、仕事では通用しない。あり得ない。一刻でもいいから、早く気づいた方がいい。気づかずに困ってから初めて分かるのでは辛すぎる。知っていてやらないのはもっと困る。周りが迷惑するからだ。そして、ある程度成長してくると、振り返る度に自己嫌悪に陥るから要注意だ。恥ずかしさでたまらなくなる。普通の立ち居振る舞いができるようになった方がいい。不自然であることが分からないで成長してしまうことが怖い。

三　関係の理解

こうした関係の理解は年齢相応に理解しておいた方がいい。いろいろな勉強と同じように、その時期その時期に応じて学習すべきことをきちんと学習しておいた方が、どれだけ楽に身に付けられるか分からない。成長してから道理を覚えようと思っていてもそうはいかない。不自然なことが当たり前になっている時間が長ければ長いほど矯正しにくくなる。当たり前なことが当たり前に写らない鏡の前にずっといていいはずがない。

四　児童と少年の違い

法的にいえば、一四歳未満ならば児童としての扱いで済まされる。一人前として認めていないから許容される範囲も大人とは異なる。だから大目にみてもらえることがある。一四歳となるとこの扱いが若干、大人に近づいてくる。

駄目なものの度を超せば、家庭裁判所で処遇を決められることもある。こんなことはあって欲しくはないが、ないことはない。

「関係の理解」はしていても、それを素直に言葉として表現しないということもある。何故か。年頃だから背伸びしたいということもある。年をとっても、そうしたことはある。けれども素直にならなければ分からないことがある。謙虚に振り返ってみればいいのに、それをしないで済むほど世の中は甘くない。

家庭の中で培われる話し言葉が基礎である。言葉だけでなく、全ての原点は家庭にある。

五　気持ちのよい言葉遣い

不愉快になる言葉遣いを知っているだろうか。先生に無礼な言葉遣いを平気でする生徒がいる。友達言葉で敢えて話をしようとする。何を考えているのかが分からない。きっと相手は不愉快な思いでいっぱいだろう。そう思ってしまうことがある。そうした物言いの人間は逆に自分がその立場になったときには激しく怒るのかもしれない。

「はい」の定理

1／（「はい」の回数）の二乗＝（相手の思いに応えようとする気持ちの度合い）

「はい」の回数が多ければ多いほど、相手に対する思いは低くなる。

何かをお願いしたり、指示したりすることがあります。そのときどのような受け答えをしているでしょうか。

「○○をお願いします。」

「はい。分かりました。」

「これをやっておいてください。」

「はい、はい。」

「これをお願いします。」

「はい、はい、はい。」

皆さんはどう受け止めますか。

「はい」という返事は、一回だと普通です。二回言うと、もっと真剣になると思いますか。三回ではどうでしょうか。

「はい」の回数は、多ければ多いほど真剣さや相手に対する思いが薄れていくように感じます。

「はい」の回数の二乗に　相手に対する思いは反比例する。

「はい」を三回続けて言うとすると、それは3の二乗だから、1／9しか思いがないということになります。場合によっては、「面倒くさい」とか、「嫌だな」とか相手は思っているのだなと受け止められてしまう、そんなことも十分有り得るのです。何気ない言い方であっても、相手はマイナスに受け止める可能性が高いのです。皆さんは言われたときにどう感じますか。

「はい」は一回でいい。そして、返事をしたことは、やれるものはすぐにやった方がいい。それが相手に対する誠意を示すことにもなるのです。仕事では特にそうだと感じます。私は、次のような気持ちになってしまうのではないかと思うのです。

○信用がなくなる
○期待感がなくなる
○話をしたくなくなる
○何度も言われると不愉快になる
○次からその人と話をしたくなくなる
○「何か」を頼もうとは絶対に思わなくなる

仕事となればこんなことをやっていたら、とてもではありませんが、やってはいけないと思うのです。

○話しても真剣に聞かないのだから説明しても無駄だろう
○そんな相手に話をしたくもない
○面倒だから違う人に頼もう

そうならないように気を付けていきたいものです。

もう一つ、気を付けたいことがあります。

※要注意言葉「はあ」

「はい」と似ていますが、もっと注意しなければならない言葉に「はあ」があります。これは一度目から、既によくない雰囲気が漂う言葉です。

「はあ」は、「はい」とは異なり、「はあはあ」「はあはあはあ」とは言いません。質問の度にこれを始めに言ったり何度も続けて使ったりすることは、「攻撃的」「批判的」に感じられ、相手への拒絶を示す言葉となるのです。

精神的に不健康な人間の意地の悪さが周囲にも伝わり、たまらない不愉快さが周りにも伝わってしまいます。繰り返せば繰り返すほど、みんなが嫌な気持ちになってしまうのです。更に、イントネーションで「後ろが下がる場合」と「上がる場合」によって、その不愉快度は違ってきます。後ろが上がると不愉快度は更に上がります。

「これはどうなっていますか。」

「はあ」

「これを説明してください。」

「はあ」

「これをやってください。」

「はあ」

「早くやってください。」

「はあ」

「どんどんやってください。」

「はあ」

気を付けたいものです。

「天地真理」で

皆さんは「天地真理」という歌手を知っていますか。先日、ある先生から、「四十年以上も前のことだから、この名前を知っている先生はあまりいないと思います。」と言われました。当然、「生徒も知らないと思います。」と言われました。知らないということは、「この名前だけでは通じるものがない」ということになります。それでも敢えて「天地真理で」と言ってしまうことがよくあります。学校でもそうですが、市役所や県の事務所に勤めていたときにも、思わず「天地真理で」と言っていたものです。

どんな気持ちで物事をやって欲しいかということを相手に伝えるには、余計なことはあまり言わない方がいいと私は思っています。言葉にしなくても通じるものがある。それが分かる相手ならば一言でそのことを伝えたい、そんな気持ちが、私にとっては「天地真理で」という言葉になっているのです。

では、「天地真理で」という言葉はどんなことを意味する言葉かというと、ただ単に、この人の歌の歌詞の一節が印象深く記憶に残っていることにあります。その一節は「一人じゃないっ

て　素敵なことね……」という一節です。「歌の名前も知らない」「この後の歌詞もよくわからない」、その程度の記憶しかないのに、この一節が何かの拍子に思い浮かぶことがあるのです。そして、その一節を思わず口にしてしまうのです。

世の中どこでもそうですが、何もないということはありません。人と人との係わりの中で必ずいろいろなことが起きます。問題は解決していかなければなりません。こうした中で、一人で思い悩んだり、一人で解決しようと無理したりすることがあります。自分だけで解決できれば、それはそれでよいのですが、中にはそうはいかない場合もあります。むしろいろいろな人と相談したり検討したりする方が、この後によい影響を与える場合も少なくありません。問題解決をする過程で、お互いが相互理解していくことにより、問題の解決と共にコミュニケーションも取れ、より計り知れない効果も生まれることがあるからです。

いろいろな出来事が毎日あります。そうした中で、一人で問題を解決しようとしてもできないことがあります。複数で対応したり複数で話し合ったりする中で、自分で気づかなかったことに気づいたり、様々な経験を通して得られたものの中からよりよい方法を見つけたりすることができます。

また、相手がある場合には、多くの人が係わっていることにより安心することもあります。さらに、多くの人の意見や考え方を聴くことにより、疑問だったことも、様々な考えや方法を納得する過程を通して、心の受け皿を広げたり新たに創造したりすることができるようになります。

一人でいるといろいろなことが狭くなりがちです。狭いところは窮屈です。もう少し広げたい、そう思っていてもあと一歩が出てこないことがあるものです。そうした時には、自分の周りの人にどんどん自分のことを話してしまいましょう。言ってしまえばもう一人ではありません。一人だけの問題から、みんなの問題になります。問題は簡単には解決しないこともあります。解決しなくてもみんなが知ってくれているだけでいいこともたくさんあります。いろいろな人との係わりを活かしていくことは有意義なことなのです。そうすればいろいろなことが見えてきます。物事の道理も見えてきます。気持ちも通いやすくなります。いろいろなものが通りやすくなると、ますますいろいろなものを見たり経験したりしたくなります。ぐるぐると同じ所を何度も回っているように感じたら、ぜひ、誰かに話してみましょう。体を動かしていろいろなものを見てみましょう。そして経験してみましょう。少しでも前が見えてくると、その先をもっと自分で見たくなるはずです。

「一人じゃないって素敵なことね」、このフレーズは、自分だけでなくみんなにも元気を与えてくれる、私はそう思います。

美柑の悩み

今日もまた算数の授業がある。美柑にはこの時間がすごく苦痛だ。国語の時間も理科の時間も少し気になることがあっても、算数の時間に比べればまだいい。

この時間、どうすればいいだろう。

小学生の美柑にとって、この一時間をどうやり過ごせばいいのかが悩みの種だ。

美柑は算数が苦手ではない。むしろ算数は大好きだ。誰にも遠慮せずに自分の想いや考えを表現できる図工と同じくらい好きな教科である。本気を出せば、クラスのだれにも負けない自信がある。特に図形の勉強は大好きだ。幾何学的な模様はまさに芸術的なものにさえ思えているのだ。それなのに、美柑にとってはこの時間が苦しくて辛くてたまらない。

「どうしようかな。」迷いながらも授業の準備をする。チャイムが鳴って、先生が前に立つ。日直が起立の号令をかける。周りを見回し、きちんとしているのを確認し、「これから算数の授業を始めます。」と言う。

それに合わせてクラス全員が「お願いします。」と言いながら礼をして着席する。

「今日は、分数の足し算を勉強します。いつもの通りやり方を教えますから、その通りに皆さんやってください。」

「『手はお膝。』先生の話を聞いてから始めなさい。」

「それでは、黒板に問題を書きますから、ノートに写してください。」

「皆さん、写しましたか。」

「手はお膝です。きちんと聞かないと分からなくなりますよ。」

「どうして鉛筆を持っているの？」

「だって先生の言った通りにやりながらやった方が、分かりやすいと思ったんだよ。」

「だめです。先生の話をよく聞いてからです。」

　叱られて雅夫が渋々鉛筆を置く。

(雅夫ちゃんの言う通りなのに。先生の説明を聞きながら、その通りにやっていった方が頭に入りやすいに決まっている。全部の説明を聞いてから始めると、初めの方が分からなくなってしまうということを雅夫ちゃんは言いたいのだ。けれども、先生は自分の言った通りに子どもがやらないと気が済まないのだ。困っちゃうな。)

　美柑には、雅夫の気持ちが心が痛くなるほど伝わってきたが、何も言うことができず、ただ下を向いてしまっていた。

「それでは説明しますからよく聞いてください。」

…………………………

「以上です。分かりましたか。それでは問題を出しますから、先生のやり方を真似してやってください。いつもの通り、できた人から先生のところにノートを持って来なさい。いいですか。」

「はい」と元気に答える子が数人。はっきりしないながらも小さな声で「はい」という子が数人。とりあえず「はい」と言っている子が数人。なんとも返事もできずにいる子が数人。全く何もしていない子が数人。

元気に「はい」と返事をした子は勢いよく解こうとしている。表情も明るい。けれども、その子たち以外の半数は不安な表情でいる。

(説明するだけですぐに分かる人はそんなにいないのに。)

先生は、教師机に座り、赤ペンを持って待っている。

何分もしないうちに、急いでノートを持って先生の前に行こうとする子がいる。それに続いて遅れまいと数名の子が続く。昭と和彦が同時に先生のところに来たので、「自分が先だ」と主張し合っている。一番を争ういつものメンバーが前に並んでいる。黒板の前に並んでいるから問題の下の方が見えない。

（まだ写し終わっていない子もいるのに。）

一番前の席にいる子は、いつも自分の様子を見られている。下を向きながら何も言わずにいると、並んでいる子がその子の消しゴムをいじっている。並んで待つ間、黒板前にいる子は下を向いている。並んでいる何人かは、その子の様子を黙って見ている。並んでいる間に話をしている子もいる。少しずつ列が長くなっている。何人か○（まる）を貰った子が出てくると、その子のところに教えてもらおうと数人が集まって来ている。親切に教える子もいれば、そうでない子もいる。中には、できた子のノートを隣りで覗き見て、その通りに書き写して先生のところに持っていく子もいる。一郎は、はじめから諦めていて、外を見ている。解く気にもなっていない。よし子は、何度もやろうとしているのだが、なかなか解き方が分からず焦っているようだ。行ってやりたいが、美柑自身もまだ○を貰っていない。できない子がいるのに、自分だけ○を貰いに行く気にはなれないのだ。

ここに至るまでいろいろなことがあった。

美柑も初めは競争に参加していた。一番になることがうれしい時もあった。先生の出す問題は予習して大体分かっていたので、兎に角、早く解いて先生のところに持って行った。一番の回数を争っていた子に勝つことがうれしかった。こうしたことが何回か続くうちに○を貰いに行くことに疑問を感じ始めた。周りの子の様子が気になってきたのだ。

もう一つ、（並んでいる時間がもったいないな）とも思い始めたのだ。並んでいる間に、友達と話をする。算数に関係ないことを話していることもあった。こんなことならばと、本を読みながら並んでいると、先生から「この時間は算数の時間ですよ。まだ○を貰っていない人は違うことをしてはいけません。」と叱られてしまった。ということは、○を貰うために並んでいる時間は何もできないことになる。しかも困ったことに、算数の時間の大半はこの「並んで○つけ」の時間なのだ。算数のいろいろな考えや解き方をみんなで考えれば、もっと面白いと思うのだけれども、解き方を真似するだけの時間になっている。できない子や分からない子もいるのに、そのままになっている。そうしたことを考えていくうちに、だんだんとノートを持って何もせずに並んでいるのが嫌になってきた。そこで並ぶのをやめることにした。

先生の出した問題の解き方は分かっていたので、解いたまま自分の机で周りの様子を見ていた。そうしたことがしばらく続くと、先生が美柑のところにやってきた。これまで競って並んで○を貰うことを喜んでいた子が、この頃持ってこない。自分の席に座ったまま周りを見ている。先生は美柑の席に来るなりノートを見る。できないどころか丁寧に解き方を順番に解説付きで書いている。

それはまるで、できない子に説明するためのものかと思うものであった。間違いやすい所や大切なところを丁寧に赤字や矢印を付けたりしている。

「美柑ちゃん。できたのならなぜ持ってこないの。ダメじゃない。」とまた叱られてしまった。解けたなら持ってこなくちゃいけない。けれども、私にはとっても気になることがある。

次の日の算数の時間。同じように授業は進む。美柑は解けていない子のところに行こうとする。すると一番早く解いた林檎が美柑に、

「美柑ちゃん。まだ○を貰っていないのに、何で他の子の解くのを手伝うの。おかしいじゃない？」

「えっ？　だって苺ちゃんが分からないというから、見てあげようとしたんだよ。」

「だったら○を貰ってから行きなよ。おかしいじゃない。解けてもいない人が、助けに行くなんて。」

美柑は昨日、先生に注意されたので、今日は問題は解けるが、それをノートに書かずにいたのである。そうすれば、並ばなくてもいいと考えたのだ。ところが、そうすると今度は解けていないと思われても仕方のないことになってしまったのである。昨日の夜に考えた作戦は、人を助けることができない方法だったのだ。どうすればいいのだろう。その日は、どうしていいか分からずに、先生の○付けが終わりそうな時間を見計らって、急いで計算と答えをノートに書いた。

「美柑ちゃん。苺ちゃん。次郎君。健太君。まだできていないの？　もうすぐ時間終わっちゃうよ。」と先生が声をかけてきた。

結局、その授業時間一杯になっても、美柑以外の三人は解けずに終わってしまった。このままだと、苺ちゃんが学校が嫌になってしまわないか心配である。男の子の一人は、一番前の席で、みんなが並んでいる前に座っている。だから、あの子が解けていないことを多くの子は知っている。

授業の度に、先生の「○○ちゃん。まだ?」という言葉を聞くと、耳を塞ぎたくなる。かわいそうでならないのだ。

（これでは苺ちゃんを助けることができない。）

この頃、解くことを諦めてしまっている子がいる。さっき先生が名前を呼んだ子以外でも分からない子がいる。できた子の答えを丸写しして、その場しのぎをしている子も少なくない。

事前に予習したり、塾で先取り学習したりしている子は困らないが、学校の勉強を第一にしている子にとっては大変なことだ。私はまだ幸せだ。何とかこれまでのところは分かっているから。それでも今後どうなることやら。

その日の夜、美柑が宿題の算数の問題を解いていると、お母さんがおやつを持って様子を見に来た。美柑は机に顔を伏せて寝ている。
「なんだ、勉強していると思っていたら、寝てしまったのね。」
お母さんは、「風邪をひいてはいけないよ。」と声をかけようと美柑の肩を叩こうとすると、ノートに大きく「先生！　子どもを並ばせて○付けるのはやめてください。」と書いてあった。

（どうしたのだろう。学校で何かあったのかな？　そういえばこの頃学校のことをあまり言わなくなっている。）

（これまで私の帰りを「待っていました」とばかりにいろいろなことを機関銃のように話をしていた子が、ぱったりと話をしなくなっている。）

だんだん母親も気になってきた。少し寝かせておいて目が覚めたら話を聞いてみようと思い、わが子の背中にそっと上着をかけて、静かに見守っていた。

……………………

「ありがとうございます。」

先日あることで一人の先生が、「ありがとうございます。」と言ってくれた。時々こうしたことがある。なんともよい気分になる。何故か。よく考えてみると、いつも具体的に感謝している内容を言ってから「ありがとうございます。」と言っている。だから感謝の気持ちが伝わってうれしくなる。

生徒と面接をするときにもよくこの言葉が出てくる。生徒一人一人を見ると、よいところがたくさんある。話をするうちに、そのよい面の話をすると、「ありがとうございます。」と言ってくれる。

おだてるために言っている訳ではなく、本当によい面をそれぞれが持っているからだ。多くは、「そのこと」になかなか気づかない。「そのこと」はややもすると、自分ではあまり「ほめられるようなものではない」と思っていることがある。だから意外な顔をすることがある。「どこがいいのかよく分からない」というような顔をする人もいる。

人に言われてはじめて気づく。こうしたことは、意識してやっていることではないことの現れなのだろう。無意識に身に付いていったものは自然に出てくる。それがいい。

人に感謝するときに使うこの言葉「ありがとうございます。」が自然に出てくる。それは当たり前のことかも知れない。しかし、きちんとこうした言葉が言えるということは簡単ではない気がする。

感謝の言葉は、自分で何が有り難いことかが分かっていないと出てこない。素直な気持ちを持っていないと、相手にも伝わっていかない。小さい頃には人に世話をしてもらうことが多く、何が有り難いのか分からない。自分で人のために尽くしたり、家でいろいろな手伝いをしたりしている中で、ちょっとしたことでも人にやってもらうということは、大変なことなのだと気づいていく。この少しずつの積み重ねが、人に感謝する心を育てて行くのかも知れない。だから「ありがとうございます。」という言葉は、成長の証とも言える。

自分中心でいるとこうしたことは分からな

い。人に感謝するということが分からないことほど不幸なことはない。心が広く温かだから分かることであって、「ありがとうございます。」は心の有り様を示す言葉でもある。

「勉強」だけが勉強だと思っていると、大きな間違いが起きる。国語や数学の勉強をすることはもちろん大切なことだが、それをよい方向に生かしていく心が育っていないと、折角の力がうまく働かない。人としての姿がこの言葉に詰まっているような気がする。

今日もいつものように一所懸命生徒のために先生たちが頑張っている。それが生徒の気持ちと一体になっていると感じる時がある。みんなが明るく楽しく心地よい気持ちで学校生活を送るために、黙々と誠実に頑張っている。

言葉にならない「ありがとうございます。」もある。なかなか言葉に表せないときもある。そんなときには、(分かってくれよ）と心で叫ぶこともあるかも知れない。でも本当は「ありがとうございます。」とはっきり言わなくてはいけないのだろう。重い口を開いて「ありがとうございます。」と言うと、きっと自分も相手もうれしくなるはずだ。

国語の授業で、「照れ屋」の話をしていた。「照れ屋さんはいますか。」と生徒に質問していた。照れ屋さんは誰だろう。

朝掃除

随分昔のことです。その当時、ある中学校の教頭先生だった人から聞いた話です。木曜日に朝の挨拶運動で正門に立っていた時に、ふと思い出しました。

……………………………

生徒が悪いことをしました。これまでもいろいろなことで、いろいろな所に迷惑をかけていた生徒でした。「またか」という気持ちでした。

事の重大さを考えると、指導し注意するだけでは収まらない。保護者とも相談しなくてはならない。そこで、担任から家庭に連絡をしてもらいました。

その日の夜、両親で学校に来てくれました。事情をお話すると、お父さんが「何度もご迷惑をおかけしてすみません。息子のしでかした事は誠に申し訳ありません。息子と一緒に謝りに行きます。」と言われ、その日は帰りました。

次の日の夜です。再びお父さんが学校に来て、昨日のことの顛末と、迷惑をかけたことへの謝罪とお礼を言った後、教頭先生に「息子と約束をしたので協力してもらえないか」という話を始めました。

「学校に迷惑をかけたので何か償いをさせたい。家で相談した結果、いつも教頭先生が朝、校門周辺を掃除しているので、それを一ヶ月だけ手伝わせてほしい。」という内容でした。息子が、「教頭先生とは日頃からよく話をし、いろいろな関わりがある」ことを家庭で話をしたことから、申し出たとのことでした。教頭先生は、折角の申し出なので校長先生に相談をしたところ、「よいことだからやれるところまでやらせてみよう」という話になりました。

早速、次の日から始めることになりました。（果たして、本人は来るのだろうか）と思いましたが、約束の時間になると本人はやって来ました。

最初の日は、「親に言われたからやっている」という気持ちが強かったのでしょうか、ぐずぐずと仕方なくという様子で、決して積極的ではありませんでした。気持ちの整理もついていなかったのでしょう。

それでも日が経つにつれて、掃除をした方がいいところが気懸かりになり始めたのでしょうか。いろいろな所の汚れやゴミを片付け始めました。掃除をしてみて、いつも当たり前のように整備されていたのは決して当たり前ではなかったことに気づいたようです。汚したり、ゴミを落としたりする生徒がいることに憤慨するようになりました。

毎日、掃除をしながら一言二言、言葉を交わす中で、教頭先生は今まで以上に生徒のことがよく分かってきました。そうこうするうちに一ヶ月が経ち、最後の日になりました。

「ご苦労様でした。よくやったね。君は、十分よくやったよ。お父さんにも『よろしく』と言っておいてください。」と言うと、本人は困ったような顔をしました。何か言いたそうな感じでしたが、その朝はそのままで終わりました。

その日の夜、お父さんから電話がありました。今日で終わりなので、そのことの確認の電話かと思い受話器を取ると、「教頭先生、お願いがあります。もう少し掃除を続けさせてほしいのですが……。」という話でした。（何かまたやったのか。けれどもこの頃落ち着いている。どうしたのか。）

疑問に思っていると、「誠に済みませんが、教頭先生と話をしながら掃除をすることが楽しみになったと言うんです。いつまで続くか分かりませんが、一緒にやらせて貰えませんでしょうか……。」

（悪いことではないのだが、折角のけじめがつかなくなっては）と、教頭先生は心配しながら話を聞いていました。するとお父さんは更に続けて、「また、どうしたわけか、今まで勉強をしたいとか言ったことのない息子が、少しずつでもやってみたいと言い出したんですよ。済みませんが相談に乗ってやって欲しいんです。」とのことです。お父さんには、「とりあえず明日、本人が来たら話を聞いてから決めましょう。」と話し、電話を切りました。

次の朝、本人は何事もなかったかのように、ほうきを持って掃除を始めます。声をかけると、

「教頭先生、俺ができそうな簡単な問題集みたいなものはないかなあ。」

「何の教科だい。」

「今更勉強するなんて言うのも、ちょっと恥ずかしいけど……」

「勉強するのに恥ずかしがることはないよ。」

「だって、やってできないのがみんなに分かるのが嫌だし……」

「やれるかどうか分からないうちから、そんなことを言うなよ。」

「じゃあ、言うよ。今までずっとやっていなかったから、逆に何をやっていいか分からないんだ。俺のことは教頭先生も知っているように、ほとんど分からないことばかりなんだ。やっぱり駄目かなあ。」

「そんなことはない。できないことをあきらめていたら、きりがない。やれることから始めてみよう。どうだ、はじめは中学一年生の数学からやってみるか。」

「それでいいや。でも、できるかな。」

「簡単な問題集を持っているからあげるよ。」

「いいの。」

「あとで取りに来なさい。」

「どうやればいいの。」

「やり方は簡単にしよう。まずはやってみる。少し考えて、分からなかったら答えを見ていいよ。見ながらでもいいから答えを丸写しにする。覚えたら、今度は答えを見ないで、そのとおりにやってみよう。はじめは、真似をするんだ。繰り返しやること。それでも分からなかったら、聞きに来ていいよ。まずはパターンを覚えることだ。」

「分かった。今日、家に帰ったらノートを買って早速やってみるよ。」

少しでも続けてくれたらきっかけがつかめる。あきらめなれば、確実に向上する。

（続けろ、続けて行くんだ。継続が大きな力になるんだ。）と、祈るような気持ちでした。毎日休まず、朝掃除に来る。来ると、ほうきで落ち葉を掃きながら、いろいろな話をする。家であったこと、クラスであったこと、友達のことと、次から次へといろいろな話をするようになりました。

物事に打ち込んで真面目に頑張っている時の一ヶ月は早いものです。瞬く間に一ヶ月が経ってしまいました。朝掃除をいつやめるのかと思っていましたが、一向にその気配はありません。むしろやるのが当たり前のようになっているようでした。さらに、周りからも期待されていることに気づいたようにも見えてきました。

そうこうするうちに七月に入りました。しばらく話をしなかった勉強の話になりました。

「教頭先生の言ったとおりにやってみた。確かにはじめは分からなかった。やめようかと何度も思った。けれども約束だからと、我慢した。これがよかった。今まで何度も我慢できなくていろいろなことで失敗をしてきた。約束を守るという一心で辛抱して何度も繰り返したら、自分でもできるということが分かった。」

少しずつだが分かってくると、欲が出てくるものです。当初は、とっくに進学をあきらめていたのですが、高校進学もしたくなってきました。「教頭先生には言わなかったけれど、漢字の練習帳を買ってきて、それも取り組んでいる。」ということでした。「数学の方は、中学一年がもう少しで終わるので、今やっている二年生の勉強の所を今度はもっと頑張りたい。」とのことでした。さらに英語も頑張っていると言うのです。とりあえず分からないので、教科書を丸暗記することにしたというのです。問題が出たら丸暗記していればそれを思い出してまねればいいと、考えたと言うのです。

「教頭先生、これって結構効果があるんだよ。」と誇ったように言います。

「何故だい。」

「だって全部覚えているから、先生が説明をする度に、文法、単語の意味、正確な発音もよく分かるんだよ。」

よくもまあ覚えたものだと感心するばかり。knifeを「クニフェ」と平気で読んでいた頃が嘘のようです。やり方は何度も何度も言って、書いているとのこと。

「少しずつ繰り返していたら、到底できないと思っていたことが、なんとできたんだよ。」

できないことができるようになったことで、自信がついたと言うのです。やれば少しはできるという実感を、自分で感じることができたことがきっかけとなったとのことでした。

もうすぐ夏休みというところまで来ていました。

……………

この生徒は、卒業式当日まで掃除を続けました。

進路も見事に決定しました。本人も周りも、ここまで変わるとは思ってもいなかったことでした。

この話の途中には、まだまだ、いろいろなことがたくさんありました。そのことはまたの機会にお話します。

　夢を持たないで拗ねていた生徒が、何とか頑張っているうちに自分の目標を持ち、そして夢を叶えようと一生懸命になる。その夢とは、少しでも人のために役に立つことだと言うのです。

「教頭先生、迷惑ばかりかけて生きるのはもうごめんだよ。気付けば気付くほど辛くなる。」

「これから、一杯頑張ればいいじゃないか。第一、もう十分今だって頑張っているじゃないか。」

「そうは言っても、まともになればなるほど自分が馬鹿をやっていたときのことが、嫌と言うほど頭に浮かんで来るんだ。」

「そうか。自分にもそういうことはあるんだよ。そのことはよく分かったから、これから先のことをしっかりやっていこう。」

「そうかなあ。」

「後ろをたまには振り返るのもいいけれど、若い君には前を向いてしっかり進んで行く方がよく似合う。」

「分かった。ありがとう。」

4章 自分のこと

にんげんがわ

ある駅に停車したときに一組の親子が乗ってきた。空いている座席は一つしかない。父親らしき人が座った。子どもは立っているのが当たり前のように父親の前に立ち外を見ていた。親子の会話が聞こえてきた。

「お父さん、お父さん、お父さん。『にんげんがわ』だって。面白いね。」

「そうか。『にんげんがわ』という川なんだ。川を渡る陸橋の入り口に書いてあった字を『にんげんがわ』というふうに読めるんだ。すごいね。だけど、あれは『人』という字に似ているけれど、『入』という字なんだ。だから『いるまがわ』って読むんだよ。でも、よく読めたね。」

父親は、手のひらに指で「入」という字を書き、「人」という字を続けて指で書きながら漢字のことを子どもに話している。

「そうか。『にんげんがわ』でなくて『いるまがわ』と読むのか。倒れてる棒の向きが逆なんだ。いろいろな所にあの字が書いてあるから覚えちゃったんだ。だけど、向きが逆だと違う文字になるんだ。ふーん。」

今度は子どもは、お菓子の箱を見ている。外箱になんとかライダーという漫画のヒーローの名前が書いてある。しばらくその絵を見た後、箱を裏返してじっと見ている。

「お父さん、お父さん、お父さん。このお菓子『ひゃくえんごじゅうえん』するんだよ。『ひゃくえんごじゅうえん』というのは高いの?」

「『ひゃくえんごじゅうえん』て書いてあるの。」と父親が子どもに聞くと、子どもは箱の裏側に書いてある値段の所を父親に見せていた。

「すごいね。それが読めるんだ。びっくりしたよ。随分丁寧な言い方しているね。すごいね。じゃあね、『ひゃくえんごじゅうえん』『ひゃくえんごじゅうえん』と何度も言ってごらん。だんだん面倒になってこないかな。だんだん面倒になってくると、どこか省略したくなるはずだけど、どうなるでしょうか?」

子どもは口の中でもぐもぐと「『ひゃくえんごじゅうえん』『ひゃくえんごじゅうえん』……」と繰り返している。

「お父さん、お父さん、お父さん。だんだん面倒になってくると『ひゃくえんごじゅうえん』でなくてもいいんだとしたら『ひゃくごじゅうえん』かなあ。」

お父さんがうれしそうに「ピンポーン、正解です。じゃあこれはいくらでしょうか。」と言ってもう一つのお菓子の袋の値段のところを指さした。

するとと子どもは「これは簡単です。ひゃくにじゅうえんです。」と答えた。

「すごいね。すぐに分かっちゃうんだ。どうして分かったの。」

「だって『えん』のところを何度も言っていたからそこを言わなければいいんじゃないかと思ったんだよ。」

「すごいね。たいしたもんだ。小学校に入ったら、もっと大きなお金も読めるようになるよ。」

子どもはその事には答えず、思いついたように「お父さん、お父さん、お父さん。問題です。そらのうえにはなにがあるでしょうか。」と父親に質問をしている。

「そらのうえだから宇宙かな。」

「残念でした。違います。」父親は「うーん」と考え込んでしまった。

私も「何だろう」と考えてみたが、適当な答えが見つからない。子どものクイズだからそんなに難しくはないはずだが分からない。子どもは父親が考えている様子をみてうれしそうにしている。

電車が停車した。人が電車に乗ってくる。混み始めた。父親はお年寄りが近くに来たのを待っていたかのように、すっと自分の席を立ってお年寄りにさりげなく譲った。

ところがそのお年寄りは、子どもに「坊ちゃん、大変だね。どうぞ座りなさいよ。」と言って一旦座った席を子どもに譲るために立とうとしている。するとその子は、
「ありがとう。おばさん。だけど僕は元気だから座っているより立っている方がいいんだよ。だって僕は丈夫になるためには立っていた方がいいとお母さんに言われているし、いつも電車の時には立っているから慣れちゃっているんだ。だって僕は若いんだから大丈夫なんだよ。」
それを聞いて、お年寄りはニコニコしながらゆっくりと席に腰掛けた。電車の中がだんだん混雑し親子の会話は途切れた。さっきの答えはどうなるのだろうかと気になって聞き耳を立てていたが、その後が分からない。

…………………

家に帰ってわが子に聞いた。笑いながらすぐに答えを教えてくれた。

オリンピックがやってくる

再び東京がオリンピックの開催地となりました。

アジアで初めて開催されたオリンピックは「東京オリンピック」です。今から五十年近く前の話になります。十月十日から始まった東京オリンピックを記念して、この日が「体育の日」という祝日になりました。

当時、私は小学生でした。小学校の先生の引率で、川越にあるスカラ座という映画館に行きました。そのスカラ座で「東京オリンピック」という映画を観たことを今でも覚えています。カラーテレビが各家庭に普及し始めた頃でしたが、わが家のテレビはまだ白黒でした。どのテレビ局も、オリンピックの様々な競技を、毎日のように放送していました。私はテレビにくぎ付けになっていました。その当時の競技の中で記憶に残っているものがたくさんあります。

真っ先に浮かぶのは男子百メートルの決勝です。アナウンサーが「褐色の弾丸」という言い方でアメリカのボブ・ヘイズという選手を紹介していました。「褐色の弾丸」という言葉どおり、ヘイズは速かった！　他の選手の頑張りなど全く意に介することなく、あっという間に百メートルを駆け抜けます。白黒のテレビでは褐色の弾丸であるかは分かりませんでしたが、その圧倒的な速さと勢いが強烈に印象に残っています。

その後、先程の映画で、初めてその「褐色の弾丸」を観ました。大きなスクリーンにカラーで映る雄姿の迫力満点の強さと筋肉の躍動の美しさにまた驚きました。更に男子四百メートルリレーの決勝の時です。アメリカのアンカーだったヘイズは、バトンをもらった時には一番ではなかったような気がしましたが、あっという間にトップに立ち、ゴールを駆け抜けました。ものすごいものを観たという気持ちになりました。こんなにすごい人がいるのか。誰もかなう人がいない。子どもでもはっきり分かる、その強さが目に焼き付いています。

女子バレーボールでは、大松博文監督の厳しい指導のもと編み出した「回転レシーブ」で相手チームが繰り出すボールを拾いまくり、最後には、今のロシアに当たるソ連を破っての金メダル。体操日本は全盛期で、メダルダッシュに湧いていました。ウルトラCと言われた「山下跳び」。この跳び方は、当時はすごい跳び方と評判でしたが、今の体操技術で考えると、少し習えばすぐできる簡単な跳び方だということを体育の先生から聞き、驚きました。

女子の体操ではチャフラスカという選手が有名でした。昔の演技を偶然に何かの記録映画で観たら、今の選手とは全然違っており、平均台の上を行ったり来たりしている感じで、技の難度の違いに驚かされました。

また、柔道がはじめてオリンピック種目となり、金メダルをほとんどの体重別で獲りました。この頃はまだ女子の部はなく、男子の部だけでした。当時の日本で柔道は勝つのが当たり前のような気分でいました。ところが、柔道最終日の無差別級で、アントン・ヘーシンクというオランダの選手が、神永五段を「押さえ込み」で破ったのです。ヘーシンクを応援する母国の人たちは金メダルを獲得したことに大喜びで、興奮のあまり観客席から飛び出そうとする人も現れました。その時、ヘーシンクは自分を応援してくれている人たちを制したのです。そして、ヘーシンクは居住まいを正し、礼をして畳から降りました。その姿から、「ヘーシンクという選手は技が強いだけの人ではない」と、感動した記憶は今でも鮮明に残っています。

女子砲丸投げのタマラプレスの豪快さ、重量挙げ無差別のジャボチンスキーの怪力、レスリングでの日本の活躍（この種目も当時は男子だけでしたが）が、次々に思い出されてきます。

大会最終日の男子マラソンでは、エチオピアのアベベ・ビキラが前回の大会に続いて二連覇を果たしています。アベベは前回のローマのオリンピックでは、なんと裸足でマラソンを走り

「裸足の王者」と言われていました。東京大会では運動靴を履いて走り、圧倒的に強く余裕をもって一位を獲得しました。私は、あまりの強さにあきれ返ってしまう程でしたが、更にアベベが走り終わってからすぐに柔軟体操をしている姿に驚愕しました。今でこそ、そうした光景は珍しくなくなりましたが、四二・一九五キロを走り終わったら、当時は皆なと言っていいほど、倒れ込むようにしてゴールをすることが多かったのです。

このアベベの驚きと感動を上回ることが待っていました。なんと、二位の選手として、日本の円谷幸吉選手が国立競技場に入ってきたのです。首をふりふり苦しそうにしながらゴールを目指しています。そのすぐ後ろには、イギリスのヒートリーが迫ってきています。「抜かれるな！」「頑張れ円谷！」「円谷、頑張れ！」日本国中が円谷に声援を送っていたような感じだったのでしょう。アナウンサーは、絶叫に近い声で実況をしています。ヒートリーは、円谷の後ろにしっかりとついています。「離れろ」と声援してもついてくるのです。円谷を抜けるようでも、なかなか前には出ないという感じでした。最後のコーナーが近づいてきます。今まで満

を持して待っていたヒートリーが一気に円谷を抜きます。円谷にはもう追いつくだけの力は残っていませんでした。円谷は三位でした。国立競技場に、最後の最後に日本国旗が揚がりました。

その他にも、一万メートル決勝でのビリー・ミルズの驚異的な最終コーナーでの激走が記憶にあります。これは映画にもなっていたと思います。また、日本人選手として唯一短距離で決勝に残った依田郁子選手のハードル競技も、今考えると、もの凄いことだったと思わずにはいられないのです。

再び、オリンピックが東京で開催されます。今度はどんな感動が待っているのでしょうか。

魚釣り

子どもの頃、魚釣りが好きだった。それは、小学校二年生の時に町中の小学校から水田に囲まれた小学校に転校してからだ。学校から家に帰る途中に田んぼに水を引くための水路が学校の南側にあった。そのきれいな水の中にメダカが沢山泳いでいるのを見つけて驚いた。水路を眺めながらメダカが行ったり来たりしているのをただ見ていても飽きなかった。

家に戻ると、家の前にドブがあった。その中にドジョウがいた。こんなに近くの所に生き物がいることにまた驚いた。ちょろちょろと少ししか水は流れなかったし、水も汚かった。それでもそこにはドジョウがいた。昔あった農協の前の川にはきれいな水が流れていた。その橋から下を見るとフナやクチボソが泳いでいた。たまに大きな魚も尾びれを水の上に出して泳いでいた。

家の前の方に遊びに行ったら、小川が流れていた。小さなフナやメダカがいっぱいいる。そのうちにそこで魚釣りを始めた。簡単な釣り竿で、えさはミミズだった。すぐに魚がかかった。生まれて初めて魚釣りをした。こんなに面白いものかと、しょっちゅう出かけた。親父も、そこで魚釣りを始めた。ある時、親父が魚釣りをしていると大きなナマズがかかった。びっくりして、それを両手で抱えたまま家に戻ってきた。そのナマズを盥の中でしばらく飼っていたことを覚えている。

こうして魚釣りが始まるとだんだん大きな魚を釣りたくなってきたり、いろいろな場所に行きたくなったりするものだ。

入間川の脇に「おっぽり」と呼ばれる池があった。ここに親父とよく釣りに行った。竿もだんだん大きなものになった。餌もミミズだけでなく、白い虫の幼虫、赤虫、練り餌などいろいろと凝り始めた。そこから次には、入間川に行った。さらには、伊佐沼、その先にも沼があった。冬になると、泳いでいる魚がいなくなる。天蓋というものに物干しをつけて、それで川の底をすくうと泥と一緒に魚が入っている。これを親父が担いで、伊佐沼方面の川に行った。よく魚がとれた。大きなフナは、薫製にした。家の中に干したので、魚臭くてたまらなかった。親父は、フナの甘露煮が好きだったから、こうして作ったものをうれしそうに食べていた。

入間川に台風の去った後に行ったことがある。危ない話だが、川が増水していて気を付けないと本当に流されてしまうほど勢いがあった。そんなときに魚釣りもないものだが、行ってみると、そんな日でも人がいる。中には、投網をやっている人もいる。投網を投げると、予想以上に大きな魚が中に入っている。濁流の中で魚が流されてきたのだろうか。入間川の川幅も広く水量も多かった。

夏場だとアユも沢山見られた。暑いので、川の中に入って魚釣りをしていると、とても気持ちがよかった。ただ夢中になりすぎて入りっぱなしになっていると、蛭が足の裏や腿にくっついている。これがなかなか取れない。皮膚に食いついているからだ。引っぱって取ると、血が出てくる。蛭が血を吸っていたのだ。蛭というものが血を吸う生き物であるということを知った。それからは、暑くても裸足で水の中には入らないようにした。痛さと引き替えに、少し利口になった。

魚を釣った後は、おばあさんの家に行って、それを渡した。そうするといくらかお金をくれた。これも楽しみだった。おばあさんは、川魚を煮魚として食べていた。煮魚にする魚はハヤが多かった。フナでは骨があり食べにくいからだ。おばあさんが鍋に魚を入れて煮ているのを見たことがある。魚は同じ向きに並んでいた。不思議だった。泳いでいた魚が鍋の中で飛び跳ねたのだろうか。どの魚も同じ向きになっていたのはどうしてなのか。今も分からない。

ある時、おばあさんからもう魚はいらないと言われた。おばあさんの喉に魚の骨が刺さったらしかった。魚釣りをしても、その魚を食べる人がいなくなった。盥の中に何尾か飼っていたが、そのままではかわいそうな気がしてきた。農協の前の川に行ってその魚を逃がした。

中学生になったら、だんだんと魚釣りをすることが無くなっていった。農協の前の川は、水量も減り、どぶ川になっていた。魚もドジョウもザリガニもだんだんいなくなった。更に、豪雨のときに川が溢れるのを防ぐためか、コンクリートで整備されてしまった。そうこうするうちに、いつの間にか「おっぽり」のことも忘れた。

しばらくしたら、あの深い池の水が枯れてしまったという。その後、田んぼになったということを聞いたが行かなかった。

それから随分と立った後、子どもと自転車に乗って入間川に遊びに行った。おっぽりのあった所の前の土手には遊具が並んでいた。下を見ると家が建っていた。あそこに堀があったということを知っている人も少なくなるのだろう。

禁煙する

禁煙をするつもりがなかったのだが、何となく禁煙をするようなことになってしまった。これはどうしたことだろう。

平成二九年九月一〇日（水）に一日禁煙をした。はじめから一日は我慢ができないだろうと、自分でもそう思っていたのだが、どうしたわけか結局一日吸わないで過ごしてしまった。次の日も、午後三時頃まで禁煙した。吸わないでいることもできたけれども、そう我慢することもないと思って、この日は結局五本ほど吸った。これでもうだめかと思っていたら、一二日（金）から今日一九日（金）まで一切吸っていない。

寝る前には「明日からはタバコを吸うのをやめよう」と思うことがよくある。けれども、次の朝になれば、もう忘れてしまっているか、すぐにタバコをくわえてしまっている。今回はただ何となく始めているのに吸っていない。これはどうしたことだろう。はじめの数日が辛いと聞いていた。確かに、今も吸いたい気持ちが強い。禁断症状は、はじめの三日間ぐらいがひどかった。今でも吸いたい気持ちに勝つのが大変である。けれども不思議なことに、吸うのを我慢する面白さもあることに気づいた。何故か吸わないでいると空気が肺に一杯入ってくる気がするのだ。実際のところは分からないが。

タバコを二カートン買ったばかりというこの時期に、そんな気持ちになって、実際、禁煙を続けている。不思議なものだ。このまま吸わないでいると、折角買ったタバコがもったいない。書斎には八箱残っている。鞄の中にもタバコが入っている。車の中にも何箱か入っている。校長室の机の中にも三箱入っている。吸う気になればいつでも吸うことができるのに、吸わないでいる。長時間吸わないでいると、頭がくらくらするような感じ、空気が脳みそに行かない感じ、いろいろな症状を体験する。苦しくなると、深呼吸する。肺の隅の方まで空気が行き渡るという感じで、吸いたい気持ちが和らぐ。波状的に襲ってくるこの感覚が困ったものだ。結局、これがニコチンによる中毒症状というものなのだろう。だとすると、まだまだ中毒から脱皮していないということなのか。五〇歳を超えた人間がこのような調子なのだから、中学生ぐらいで覚えてしまったら、これをやめるのはかなり大変だろう。飲み物を飲む。食べ物を食べる。これによっても吸いたい気持ちが和らぐ効果がある。水を飲むだけでも違う。あれほどタバコを吸っていた人間が吸わないでいられる。きっと昔一緒に働いていた人には、この私がタバコを吸わないでいることが信じられないだろう。

ところが………

このまま行くと禁煙のいい話になるのだろうが、現実はそうはいかないのだ。

この話からまもなく禁煙はできなくなった。用務員さんと教頭さんが気が付いたからだ。心配をしていたようだ。どこか体の具合でも悪いのかと思われたらしい。そうではないので、タバコをまた吸い始めた。禁煙期間は一ヶ月ぐらいだっただろう。

これでもう駄目だと思うだろうが……ところが……

それから一年後のことである。

平成二一年七月四日（土）この日が、私のタバコからの独立を記念する日になった。

…………………………

そして平成二六年の今日まで、どういう訳か続いている。

夢（その一）

見る夢が変わってきた
何かを飲み込んでしまう夢をよく見るのだ
十円玉を飲み込んだ
卓球のボールを飲み込んだ
入れ歯を飲み込んだ
眼鏡を飲み込んだ
ハサミまで飲み込んでしまった

いろいろのものを飲み込んで　ひどくびっくりした
びっくりすることが沢山あった

飲み込んだので急いで吐き出さなければと　目を覚ます

ぜーぜー言いながら吐き出そうとするのだ

「飲み込んじゃった」「飲み込んじゃった」

「何を飲み込んだの」

「十円玉」

「そんなもの　どこで飲み込んだの」

「とにかく　飲み込んだ」

「だから　どこで？　布団の中？」

「知らない　分からないよ」

飲み込んだことが真実から虚構へと変わっていく
どう答えたらいいのだろう

夢（その二）

卒業証書はどこにあるのか
心配になって
おふくろが大切にしまっていたところから　それを取り出してもらう

夢を見ていくうちに　どうやら卒業したということは嘘で
それをごまかしながら教員をやっているような
そんな物語が立派に完成している

恐る恐る　卒業証書が入った筒から取り出し
「猪鼻幸正」と書いてあるのを確認してほっとする
そうしたことは　一度だけではない

しばらくすると　見たくもないのに　また同じような夢を見る
勘弁してほしいのは　前に見た夢よりも　状況や条件がひどくなっている
どうしても　そうなるのだ
卒業証書の在りかをさがすだけでは　すまなくなっている
卒業すら　おぼつかなくなっている
何度も試験を受けるが　どうもきわどい所で　うまくいかなくなっている
全く理不尽で　ふざけた話が夢の中ではまことしやかに展開する

卒業証書の名前が違う
わざわざ証書番号を入れ忘れている
誤りは　この誤りは　私が犯したものではない
相手の間違いだから　おかしいじゃないかと言っても　何も通じない
「あはは……あはは……」というだけ
何も通じない
「ふざけるな」と訴える

「ふざけてます」「あはは……あはは……」

何なんだよ

もう少しましな夢にしてくれ
夢の中では　夢のような話も真剣だ
真剣に　はらはらどきどきする
そして

目が覚めたら　ほとんどのことは忘れている
疲れだけが残る
でも

何かの拍子に　ふと　こんな夢だったと思い出すことがある
だから　ここに書き留めている

どういうわけか
思い出そうとしても　思い出せない夢が多い
でも　その方がいい

今　夢のいくつかが　頭の中から出てきた
いい話ならいいが　案の定　ろくな話じゃない
たまには　いい話でもないかよ

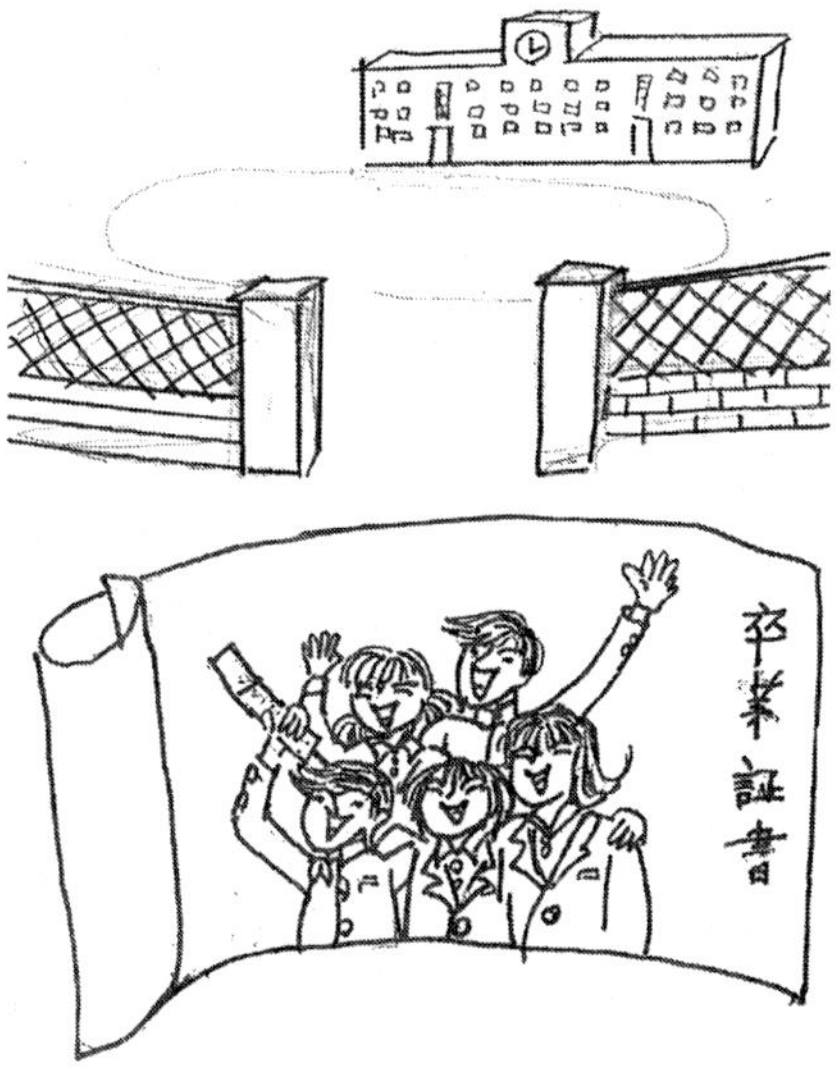

どのような話をするか

朝会でどのような話をするか
何を生徒に伝えるか
生徒達に伝えたいことは何か
いろいろと考える
言葉で表現しようとすると無理があることがある
何も言わずに見守っている方がよいときが多い
どう生徒に伝えればよいのだろう

時間は限られているので
とりあえず原稿を創ってみる
試行錯誤を繰り返し
何度も推敲し

ようやく一つのまとまりができる
話せるものになっているか気になって読み返してみると
はじめに思っていたこととは全く違うものになっている
とりあえず明日の朝会はこれで行こう

形はできたが魂は入っているかがわからない

朝会が始まる
「校長の話」と司会の声
壇上に上がり生徒の表情を見る
一人一人の生徒の視線がこちらに向く
なんだかわからないが
うれしくてありがたくってたまらない
思わず出てくる言葉は原稿とは全く違う言葉
生徒に伝えたいことは生徒と向かいあうことで

初めて生まれる

このことの繰り返しをいつまでも続けている
原稿を考えても話す話は全くそれとは違うのに

本当にいい考えとは

歩いていたり、寝ころんでいたりするときに、「いい考えだな」と思うようなことがよく浮かびます。メモを取ろうと思うのですが、大抵面倒になったり寝ていたりしている時なので、そのまま忘れてしまいます。思い出せばいいのですが、どういう内容だったのか思い出せません。だから、本当にいい考えだったのか分かりません。

「いい考えだな」と思ったことを、もしメモしていれば、その考えが不確かだったり、不十分であったりしたものだったとしても、検討して、よい方向の考え方として立派に成立させることができるかもしれないと、ふと思います。

さっきも運動場を歩いていたときに「いい考えだ」と思うようなことが思い浮かびました。ところが、今、こうして校長室に戻ってパソコンを開きメモしようとしても、何にも浮かんで来ません。困ったものです。

そろそろ

しばらく文章を書くのをやめていた。文章を作るのに時間をかけてしまってはいけない。数学の勉強を早く、しっかりやらないと頭が働かなくなると思ったからだ。こう感じた私の予想は、悔しいが当たっていた。というよりも、頭が思うように働かなくなるのは、予想以上に早かった。私の理解を超えた数学が目の前に次々と現れた。全く理解できない数学を、何度も繰り返しノートに写し書きする中で、概念の習得が全くできなくなっている挫折感を終始味わっている。

困ったことに老眼も進行し、活字が見づらくなってしまった。普通にやっていても困難なのに、この有様である。

こうしたことを繰り返しながら四年が経過しようとしている。勉強したことがものになったとは到底思えない。それだけの時間をかけても、大学二、三年程度の内容が片言程度にしか分からないのだ。少しすると、その内容も忘れて元に戻ってしまうという状況だからだ。これを今後も繰り返すというのはどうしたものだろうか。ここにきて、少し考えることにした。

何かを書くことにすれば、確実に何かが残る。けれども、数学に才能がないことを認め自覚する中で、尚且つ継続して数学の勉強を続けたいという気持ちがどこかにある。あきらめが悪いのか、数学が好きなのかどうかが分からない。ただ、続けていきたいという気持ちがどこかにあるのも事実だ。

もう少し分かりやすい内容のものがあれば、もっと数学の正体を見られるのにと思うことがある。人のせいにしてはいけない。けれども、数学の本は人にやさしくないと思う。本当は、「思う」というレベルではなく、分かるような本をつくれと叫びたいくらいだ。レベルに応じて大事なところを分かりやすく教えようとする姿勢に欠けるものが多すぎる。もしかすると、書いている人が数学を分かっていないで書いているのではないかと思うことがあるくらいだ。もう少し分かりやすくしても罰が当たらないのではないかと思ったことは、一度や二度ではない。それくらい期待通りのものはなかった。こちらの能力が足りないのは確かであるが、そればかりがいけないと言われたくない。

私は優秀な人たちを知っている。その人たちの多くが、大学の数学に挫折し、劣等感を味わっている。「味わっている」というよりも、「味わわされている」と言った方が適切かもしれない。勉強する人の気持ちを考えず、「格式や形式にこだわりすぎているようなものばかり」のような気持ちがいつもしていた。

しかし、最近はこれが少し違ってきたような気がする。分かりやすく取り組みやすく、一人でも多くの人に数学を理解してもらおうとする本が出始めている。インターネットにもそうしたものが出てきている。あの理解を拒否するような書きぶり、だれか教え方の上手な大学の先生につかなければ分からないとでも言いたげな、肝心なところをわざと分かりにくくするような本が減ってきたような気がするのだ。

今、自分の能力の低さを棚に上げて好き勝手なことを言っている。分かっていても言いたいことがある。

数学の本の前書きに、一人でも多くの人に理解してもらうことを期待しているからだ。

昔買った数学の本の多くに、前書きの部分に著者の気持ちが込められていると思っていた。しかし、何ページも進まぬうちに、その多くは嘘であることに気づかされた。もとより著者に嘘をつくつもりはなかったのかもしれないが、その本を買った人間がそう思っているのだから、著者よ、分かってほしい。

理解の悪い読者の気持ちを言わせてもらう。理解してもらおうとするのだったら、先ず学生たちに、この本を読んだり試してみたりした結果がどうだったのかを聴取したのか、聞きたい。そもそも、それを頭に入れて書いたのだろうか。間違いやすいところや理解しずらいところを意識して、どう工夫したのだろうか。こちらから言わせてもらうと、「肝心なところを省略して、無駄に時間を費やし諦めさせようとするような証明文で済ませるな」と言いたい。出だしの方は丁寧なのに、十ページを過ぎるころから急に冷たくなるような書きぶりはどうなのだろう。一行、説明や注釈を加えてくれればいいものを、それもない。おまけに、肝心なところに誤字、脱字があったりする。図があれば分かりやすいのに、それは省略。概念の受け取り方が「初心者には分からないことが分かっていない」書きぶり。少し馴染んできたところで押さえておくべきことをしっかりと繰り返させる配慮など、少しの丁寧さがあれば、もっと多くの人が数学を理解できたものをと、思うことが少なくない。

私自身も中学生に数学を教えていた身だから、あまり大きなことは言えないが、もう少し思いやりをもって指導していたという自負がある。それが感じられないものがやたらと目立つ。

「私の浅学で誤りがあったら……」などと書いてあるものがある。私に言わせれば、浅学でもいいから分かりやすくしてほしい。「厳密に」とかいうものに、拘らないでほしい。「厳密さ」こそが大事なのに、何を言っているのかと怒る数学者もいるかもしれない。それはそれでいいのだ。そういう人を対象にしている訳ではないのだ。「数学の訳」が分からない人の多くは、少しでも訳が分かるようになりたいと思っているはずなのだ。厳密でも厳密でなくてもいいのだ。分かりたい気持ちを満足させてもらえればいいのだ。分かりたい気持ちを満足させてもらえればいいのだ。そもそも、数学の厳密さとはどういうものなのだ。一種の手法や考え方を意味するだけのものではないのか。時代を隔てて見れば、それは「厳密」という言葉でくくられるものではないのかもしれないのだ。曖昧さをなくす手法として用いられるものが、これからもずっと完璧なものとして扱われるとは限らない。

高等数学を理解する人を増やさなければ、これからの日本はだめな気がする。「数学の現代化」ということが嘗てあった。それが影を潜め、消えてしまってから何年経つだろうか。面白い数学の内容がたくさんあったので、もったいない気がする。世界規模で数学的な見方や考え方がより身近になっている現在、それに対応するためにこれからは、ある程度の数学を理解する割合を今よりも増やす必要がある。全体のレベルが上がれば、次なる世界が開けてくる。背中から多くの国が日本を追い上げ、追い越そうとしている。ぐずぐずはできない。

「文章を書く」ということは、何かあるから書けるのだ。目的がある時に文章は生まれる。今は「書きたい」と思うことがない。書かなければならないことはもっとない。現役を退いた人間に、明日も昨日もあまり関係ない。日々が過ぎていくという感じなのだ。そうでない人もいるのだろう。そうした人にならなければならないのだろう。目的とか、目標とかがあることが、生きるためには必要だ。必死で何かをするということが、「生きる」ということの大切さを教えてくれるのだ。

どう生きるか

中学生の頃に、まさか自分が中学校の先生になるとは思ってもいなかった。まして数学の先生になるなどということはとても考えられなかった。数学が得意ということはなかった。

中学校の頃に好きだった教科は、社会だった。子どもの頃、親父によく映画を観に連れて行ってもらった。私の「子どもの頃」というと、昭和三十年台ということになる。映画館では、時代劇を見ることが多かった。親父が好きだったこともあるだろうが、当時は、今よりも時代劇が圧倒的に多かった。

「旗本退屈男　御存知早乙女主水介」という謳い文句が映画館の看板に書いてあったのを今でも鮮明に覚えている。たいして字が読めないのに、映画館で何度も見たり聞いたりしているうちに覚えてしまった。その後、「早乙女主水之介」を「さおとめもんどのすけ」と読むのはなかなか難しいということに気づいた。ある時、この名前を見て「『そうおとめぬしみずのかい』って何？」と聞いていた人がいたからだ。普通に読めばそう読んでしまうかもしれない。覚えていたから言えるけれども、何も知らなかったらとても読めなかっただろう。時代劇を見ているうちに歴史が面白くなった。それからいろいろな歴史の本を読んだ。小説も歴史物を好んだ。宮本武蔵、三国志、豊臣秀吉など、どれも面白かった。史実のものもあるが、創造したものも結構あることが後で分かった。

興味があると自分で調べる、考える、覚えようとする気がなくても自然と頭に入っている。地図もよく見た。今のように、インターネットで調べればすぐにいろいろなことが分かる時代ではなかったので、写真や映画で見る風景は勝手な想像を膨らませてくれた。

「近くの兄ちゃんが工業高校に入ったからおまえもそこがいいだろう」ということで、中学校を卒業し、工業高校の機械科に入った。

入学して間もなく、機械関係の仕事は向いていないということがよく分かった。手先が不器用なので製品がうまく作れない。明らかに友達に比べて下手だった。作業もぎこちなく、うまくなる感じがまるでしない。これを一生の仕事にするのは止めた方がいいと思った。

いよいよ就職か進学か困った。とにかく三年間は我慢して高校は卒業しなくてはならない。問題はその後だ。機械関係の仕事に就職すれば、毎日が大変なのは目に見えている。もし雇ってくれる会社があったとしても、迷惑をかけるだけだ。役に立たないのは辛い。

どうするか。本当は進学したかったが、家庭に経済的な余裕がない。どうしようかといろいろ考えた。いろいろと模索する中で、本を見ていたら「国立大学は一ヶ月の学費が三千円」と書いてあった。少し元気が出てきた。それぐらいなら何とかなりそうだと思ったからだ。そこの大学に入るから、なんとか進学をさせてくれと親父に頼んだ。親としてはとてもうまくいくとは思えなかったのだろうが、何とか許してくれた。ここまではいいのだが、そこから先が問題だった。当たり前のことだが、勉強の方が大変だった。工業高校だったので、普通科の勉強は時間も少なく、そんなに難しい所までやらない。そこから大学受験に通用するレベルまで自力でやるのは、後から考えてみると無謀だった。知らなかったからできたのだ。経済的にとても塾や予備校に行く余裕などないので、一から全て独学でやった。

はじめは「とんちんかんなこと」もたくさんあった。自分一人で勉強するということは、思い込みや勝手に判断して間違った理解をしている、そんなこともたくさんあった。それでも何度か間違いを繰り返すと、間違える仕方にもいろいろあることに気づいた。

うまくいかない時にどうするか。失敗したときにどうするか。分からないことを分かるようにするにはどうするか。自分で悩んだり困ったり試行錯誤を繰り返す中で、なんとか対処の方法が少し見えてきた。

自主学習用の教科書もない。教えてくれる人もいない。何をやっても何も言われない。結果を自分で受け止めるだけだ。だから自己流でいろいろな作戦を試行してみた。その中で自分にとって一番効果のある方法を見つけた。

それは解説や説明を読むのではなく、問題を解くことから始めることだった。参考書の説明や解説を読まないで、先ずは問題を考える。当たり前のことだが、ほとんどのことが分からない。分からないけれども何が問題なのかは分かる。ここが大切なのだ。少し考えて答えを見てその通りに書き写す。そうすると、問題になっている所はどうやって答えればいいかが分かってきた。問題意識をもって書いているから頭に入りやすい。

とにかく勉強する内容が多いので徹底してやった。そして何度も繰り返した。そうするうちにある程度の基礎基本の内容が頭に残ってくる。少し知識がついてくると、学習内容に興味関心が湧いてくる。興味関心をもって参考書を読むようになると、別な内容も関連してくることが分かってきた。こうなると理解もしやすくなってくる。

ここまで来るのに時間がかかった。とにかく自力で勉強した。その結果、運良く何とか大学に入ることができた。

その後、何故、数学の勉強を選んだか何度か聞かれることがあった。数学を選んだのは妹が勧めたからだ。妹は私の成績表を調べていた。そこで私に諭すように「数学が一番できるのだから、それを専攻した方がいい」と言ったのだ。実際、独学で勉強したので、時間のかかる教科よりもみんなが比較的苦手だと思っている数学の成績の方が上がりやすかった。妹の言うとおりだった。それで数学の先生になった。

なってよかった。中学校は一年中休みがない。命を預かっているので気持ちも休まらない。いくら頑張ってもきりがつかない。けれども素晴らしい。「やりがいのあるこの仕事に就いたことは一生の宝物だ」と心から思う。

一生懸命、目の前にあることに取り組んでいるうちに、この年になってしまった。自分の体が十分に動き、活動できる時期に、健康にも恵まれ、この仕事に打ち込めたことは誠に幸せだった。もう少し頑張ってみよう、いろいろな人との出会いを大切にしていこう、それが今の自分である。

おわりに

何かしようと考えていたが体調のこともありできることも限られている。そうしたときに小林晃先生の顔が浮かんだ。連絡をとり話をする中で、これまでいろいろな機会に応じて創った拙い原稿を小林先生がまとめてくれることになった。筆者の横着でほったらかしにしていたバラバラの原稿を労を惜しまず、誠実にまとめて一つの形にしてくれた。自分だったらとてもできない編集作業、更には出版社の紹介や橋渡し等、すべてに渡って多大な労力を費やしたに違いない。それでも丸投げをして任せきりの勝手な筆者のわがままをいつも笑顔で暖かく黙って受け止めてくれた。表題の「わがままを言ってみる」は、まさしく筆者そのものであるかもしれない。そして小林晃先生という助けてくれる人がいたのである。

ありがとう小林晃先生

先生にとってはいい迷惑かもしれないが、まだまだ生きて続編を書くつもりでいるのでどうぞこの後も宜しくお願いします。そして、日々の世話でも大変なのにさらに絵を描いてくれた猪鼻純子さん。ありがとう。

最後によく分からない人間の原稿を一つの本として発行に尽力いただいたまつやま書房の皆さんに深く感謝する次第です。

令和六年二月十一日

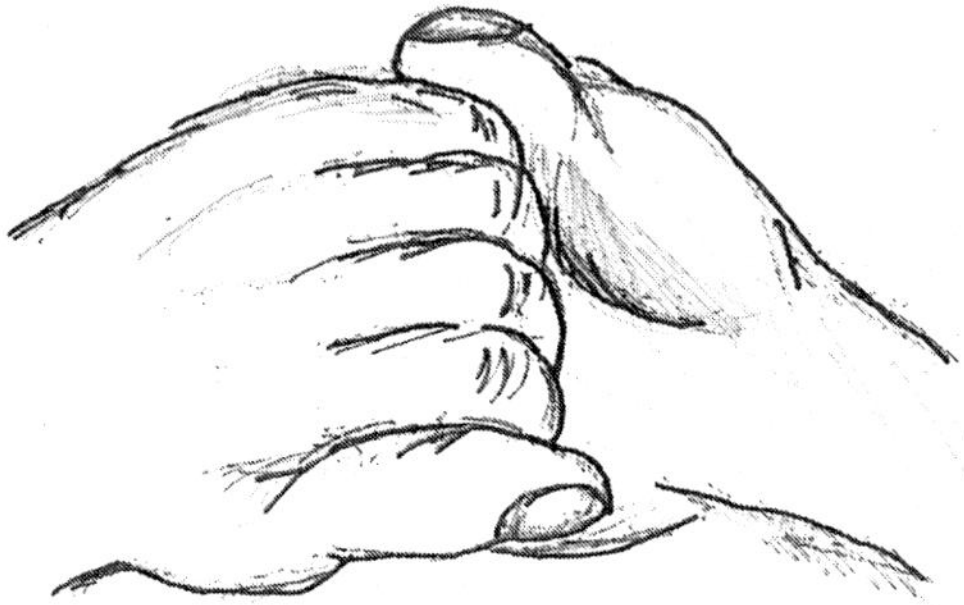

編集後記

今回、猪鼻幸正先生が綴られてきた原稿の一部を編集する機会をいただいた。
私が知っている猪鼻先生は、
○一見、怖そうに見える（朴訥な言葉から）
○眼光が鋭い（鋭い眼光かと思いきや、優しさあり）
○怒ると怖い（怒るのは、筋が通っていないと思った時・理不尽さを感じた時限定）
○貧乏ゆすりがすごい（特に行政での仕事の時）
○豊かな感性の中に冷静さを担保している（頭脳明晰）
○子どもに対しての思いやりがとてつもない（見捨てない　見放さない）
○子ども大好き（クセの強い子大歓迎）
○人情に溢れている（人との関わりを大切にする）
○人の輪ができる（長いおつきあい）
そして、

○奥さん（純子先生）大好き

子どもたちや学校のこと、ご自身のことなど、幅広い作品群の一つ一つに猪鼻先生らしさが溢れていた。私の知っている猪鼻先生がたくさん感じられ、楽しみながら編集に携わらせていただいた。

表紙及び本文中の挿絵は、猪鼻先生が大好きな奥さん（純子先生）が描かれたものである。多くの方にぜひ読んでいただきたい。

猪鼻先生ご夫妻にたいへんお世話になった　小林　晃

<著者紹介>

猪鼻　幸正（いのはな　ゆきまさ）

1955年（昭和30年）埼玉県川越市生まれ。1978年（昭和53年）埼玉大学教育学部中学校教員養成課程数学専攻卒業。川越市立城南中、山田中、川越第一中、飯能市立飯能第一中教諭、所沢市立中央中教頭、川越市教育員会、埼玉県教育委員会教育行政職、川越市立富士見中、川越第一中校長、定年退職後川越市立教育センター臨時講師（令和4年まで）

わがままを言ってみる

2024年4月6日　初版第一刷発行

著　者　猪鼻幸正

イラスト　猪鼻純子

発行者　山本智紀

印　刷　小澤製本株式会社

発行所　まつやま書房

〒355－0017　埼玉県東松山市松葉町3－2－5
Tel.0493－22－4162　Fax.0493－22－4460
郵便振替　00190－3－70394
URL:http://www.matsuyama－syobou.com/

　ISBN978-4-89623-213-4 c0095